BESTSELLER

Alberto Vázquez-Figueroa nació en Santa Cruz de Tenerife en 1936. Antes de cumplir un año, su familia fue deportada por motivos políticos a África, donde permaneció entre Marruecos y el Sáhara hasta cumplir los dieciséis. A los veinte años se convirtió en profesor de submarinismo a bordo del buque-escuela *Cruz del Sur*. Cursó estudios de periodismo, y en 1962 comenzó a trabajar como enviado especial de *Destino*, *La Vanguardia* y posteriormente de Televisión Española. Durante quince años visitó casi un centenar de países y fue testigo de numerosos acontecimientos clave de nuestro tiempo, entre ellos las guerras y revoluciones de Guinea, Chad, Congo, República Dominicana, Bolivia, Guatemala… Las secuelas de un grave accidente de inmersión le obligaron a abandonar sus actividades como enviado especial. Tras dedicarse una temporada a la dirección cinematográfica, se centró por entero en la creación literaria. Ha publicado más de cuarenta libros, entre los que cabe mencionar: *Tuareg*, *Ébano*, *Manaos*, *Océano*, *Yáiza*, *Maradentro*, *El perro*, *Viracocha*, *La iguana*, *Nuevos dioses*, *Bora Bora*, la serie *Cienfuegos*, la obra de teatro *La taberna de los Cuatro Vientos*, *La ordalía del veneno*, *El agua prometida* y *Alí en el país de las maravillas*. Nueve de sus novelas han sido adaptadas al cine. Alberto Vázquez-Figueroa es uno de los autores españoles contemporáneos más leídos en el mundo.

Biblioteca

ALBERTO VÁZQUEZ-FIGUEROA

Todos somos culpables

DeBOLSILLO

Diseño de la portada: Departamento de diseño de Random
    House Mondadori
Fotografía de la portada: © AGE Fotostock

Tercera edición en este formato: enero, 2004

© 2001, Alberto Vázquez-Figueroa
© 2001, Random House Mondadori, S. A.
    Travessera de Gràcia, 47-49. 08021 Barcelona

Printed in Spain – Impreso en España

ISBN: 84-9759-672-2 (vol. 69/46)
Depósito legal: B. 48.089 - 2003

Fotocomposición: Lozano Faisano, S. L. (L'Hospitalet)

Impreso en Litografia Rosés, S. A.
Progrés, 54-60. Gavà (Barcelona)

P 896722

Salones, salones y más salones.

Pasillos, pasillos y más pasillos.

Ventanales abiertos a jardines, fuentes, el río y las praderas y nuevos ventanales abiertos a nuevos jardines, nuevas fuentes, el mismo río y nuevas praderas.

Valiosos cuadros, estatuas griegas y muebles de severa elegancia.

Alfombras persas, tapices españoles, alfombras turcas y tapices italianos.

Gigantescas y relucientes arañas de cristal a las que probablemente un ejército de sirvientes sacaba brillo a diario.

El severo mayordomo de impecable uniforme avanzaba a paso de carga sirviendo de guía a través del intrincado laberinto del majestuoso palacio, con la misma eficacia con que un «pistero» africano seguiría las huellas de un elefante por lo más profundo de la selva.

El hombre que intentaba seguirle, pero que a menudo se quedaba rezagado al detenerse extasiado por la belleza de un cuadro o una estatua, se veía obligado a apretar de tanto en tanto el paso si no quería arriesgarse a quedarse solo, e indefectiblemente perdido, en el corazón de un impresionante lugar que más parecía un museo abierto al público, que vivienda de un simple mortal.

Al poco, y gracias en parte a su innato sentido de la orientación y en parte también a que advirtió que el sol penetraba por los ventanales desde muy diferentes ángulos, el visitante llegó a la conclusión de que le estaban haciendo víctima, o beneficiario, según quisiera mirarse, de un intencionado recorrido turístico destinado no sólo a mostrarle incontables obras de arte, sino en especial a apabullarle con la incuestionable exhibición de riqueza y poderío de que hacía gala quien era capaz de encerrar semejantes tesoros bajo un único techo.

Llegó sin grandes esfuerzos a la lógica conclusión de que tenía que existir un camino mucho más corto desde la entrada principal al punto de destino, por lo que, aun sin proponérselo, comenzó a forjarse una idea de cómo sería el talante, la personalidad y la forma de comportarse del dueño de semejantes maravillas.

La excursión concluyó cuando el circunspecto mayordomo le invitó a tomar asiento en una ancha butaca de cuero negro en uno de los extremos de un despacho del tamaño de una cancha de tenis, y cuyo mobiliario estaba en consonancia con el resto de la casa.

—El señor Lacroix le atenderá enseguida —fue todo cuanto dijo el estirado personaje antes de desaparecer por donde había venido.

De nuevo a solas, porque en realidad durante el tiempo que persiguió por los pasillos al uniformado individuo se había sentido igualmente solo, el recién llegado se entretuvo en recorrer con la vista la prodigiosa estancia, sin que le fuera necesario aproximarse a observarlos más de cerca para llegar a la conclusión de que el Goya, el Picasso y el Cézanne que colgaban de las paredes no eran vulgares copias.

Calculó que el todopoderoso Romain Lacroix le haría esperar entre siete y diez minutos, puesto que la experiencia le dictaba que aquel era el tiempo que un multimillonario de alta clase necesitaba para demostrar a sus invitados que era una persona muy atareada, sin correr el riesgo de caer en la descortesía.

A los ocho minutos justos, con puntualidad casi germánica, el anfitrión hizo acto de presencia, pero contra toda lógica no vestía de rigurosa etiqueta o una elegante chaqueta de alpaca marrón, sino un sencillo chándal deportivo algo sudado, que ni siquiera hacía juego con unas espantosas zapatillas de deporte de un verde chillón.

—¡Buenas tardes! —fue lo primero que dijo—. Perdone la demora pero es que estaba en el gimnasio y olía a mono. He tenido el tiempo justo de darme una ducha.

—Me he entretenido admirando sus cuadros.

—Magníficos, ¿no es cierto? ¿Un coñac?

—¡Por favor!

Como por arte de magia la librería de la derecha se abrió, dejando a la vista un iluminado bar del que el hombre del chándal extrajo dos copas y una ancha botella de cristal tallado, para ir a tomar asiento en el sofá contiguo y servir con estudiada parsimonia el oloroso licor al tiempo que inquiría:

—¿Así que usted es el famoso Gaetano Derderian?

—Ni la centésima parte de famoso que usted.

—¡No hagamos absurdas comparaciones! —El anfitrión alzó su copa en un mudo brindis—. Yo no soy más que uno de tantos financieros de éxito, pero según me aseguran, usted es, indiscutiblemente, el mejor en su oficio.

—Si le apetece podemos intercambiar los papeles —replicó muy serio su interlocutor—. Aunque le aseguro que mi apartamento casi cabría íntegramente en este despacho.

—Supongo que exagera, pero dejémoslo así. ¿Le importaría que le hiciera unas preguntas de tipo personal?

—Está en su derecho.

—Su nombre siempre me ha llamado la atención: Gaetano Derderian Guimeraes. ¿A qué se debe?

—A que nací en Pernambuco, de padre armenio y madre brasileña. Imagino que sabrá que mi país es tierra de inmigrantes, y los recién llegados, en especial los europeos, suelen volverse locos por las mulatas.

El dueño de la casa pareció sorprenderse y observó a su huésped con mayor atención.

—¿Su madre es mulata?

El otro sonrió divertido.

—De cuarta generación, pero con la piel lo suficientemente canela como para hacerle perder la cabeza a alguien que no había hecho otra cosa en su vida que jugar al ajedrez y enseñar matemáticas.

—¿Fue él quien le enseñó a jugar? —Ante el mudo gesto de asentimiento, añadió—: Nunca entendí por qué se retiró tan joven de los circuitos profesionales. Se aseguraba que podía haber aspirado al título mundial.

—Se equivocaban. Soy consciente de mis limitaciones, y así como heredé de mi padre un don especial para las matemáticas, heredé de mi madre una desbordada fantasía, y la fantasía es el peor enemigo de un profesional del ajedrez. En el momento crítico te asalta la necesidad de hacer algo totalmente diferente y acabas por caer en tu propia trampa. Perdí algunas de las partidas más importantes de mi vida de la manera más estúpida que nadie hubiera podido imaginar.

—¡Lástima, porque sigo pensando que al ajedrez le vendría bien un poco de fantasía! —Romain Lacroix hizo una corta pausa para inquirir al poco—: ¿Tiene una idea de para qué le he mandado llamar?

—Muy ligera.

El hombre del chándal, de estatura mediana, fuerte, de cuerpo vigoroso y amazacotado, aunque evidentemente propenso a pasarse de peso si no se le sometía a un duro ejercicio diario, bebió de nuevo muy despacio, extrajo de una caja de plata que se encontraba sobre la mesa un largo habano que ofreció con un mudo gesto a su acompañante, y como este negara, se entretuvo en encenderlo con desesperante parsimonia.

Al concluir, y tras lanzar sobre la punta del propio cigarro un fuerte chorro de humo, señaló:

—El tema es delicado. Muy, muy delicado.

—Supongo que si no lo fuera, yo no estaría ahora aquí. Como le habrán advertido, nuestros honorarios son, con mucho, los más altos del mercado.

—¿Nuestros? Siempre imaginé que trabajaba solo.

—Los tiempos cambian, el mundo es cada vez más complejo y hoy en día un trabajo bien hecho no se puede llevar a cabo sin contar con un buen equipo de profesionales.

—Pero imagino que eso no afectará a la imprescindible discreción —señaló con indudable lógica Romain Lacroix—. Conozco a poca gente capaz de guardar un secreto durante mucho tiempo.

—Los temas reservados tan sólo yo los conozco —puntualizó su interlocutor sin inmutarse—. Al igual que usted no hace partícipe a sus subordinados de la verdadera esencia de cada operación financiera, proporcionándoles únicamente aquellos datos que cada uno de ellos necesita, mi organización trabaja en departamentos estancos para que nadie más que yo tenga nunca una visión global del problema.

—Eso me tranquiliza.

—Y a mí me agrada que así sea. Comprenderá que de otro modo pocas corporaciones de auténtico prestigio me encargarían sus asuntos.

El dueño de la casa asintió varias veces, permaneció largo rato pensativo, se puso en pie, se aproximó al ventanal, contempló distraídamente un paisaje que sin duda conocía de memoria, y tras lanzar un nuevo chorro de humo, inquirió sin volverse:

—Respóndame sinceramente a una pregunta: ¿Trabajan siempre dentro de la más estricta legalidad?

—¡Naturalmente! —fue la rápida y segura respuesta—. Admito que en muy determinadas ocasiones nos hemos aproximado a lo que se consideran «los límites de la ley», pero le aseguro que jamás los hemos traspasado. —El tono de voz de Gaetano Derderian cambió en el momento de añadir con marcada intención—: Ni tengo intención de hacerlo por mucho dinero que se me ofrezca.

—¡Oh, por Dios! —replicó Romain Lacroix—. ¡Tranquilícese! Ni por lo más remoto se me pasaría por la mente encargarle algo ilegal. Me consta que se me relaciona demasiado a menudo con negocios poco claros, dinero negro y corrupción política a gran escala, pero si algo hubiera de cierto en ello, tenga por seguro que sabría muy bien que tendría que dirigirme a otro tipo de personas. El tema que nos ocupa no es de esa naturaleza.

Al brasileño empezaba a cansarle una conversación que a su modo de ver se estaba alargando en exceso sin llegar a ninguna parte, y su anfitrión, que era un hombre evidentemente muy perspicaz, lo entendió así, por lo que tras regresar a su asiento lanzó un largo resoplido.

—¡Bien! —dijo—. Creo que lo mejor que puedo hacer es ir directamente al grano. Como usted sabe, yo presido la Corporación Acuario & Orión, que agrupa más de un centenar de empresas que abarcan muchos campos de actividad, desde las telecomunicaciones, a la ingeniería, periódicos, cadenas de televisión, productoras de cine, editoriales y un largo etcétera que resultaría prolijo enumerar. Mi oficina le proporcionará los datos.

—Ya los tengo.

—¡Mejor que mejor! ¡Bien! Sigamos. Durante años las cosas han ido viento en popa, con una imparable política de expansión que nos ha proporcionado ingentes beneficios económicos, y lo que es más importante, grandes satisfacciones de tipo personal.

—De eso no tengo la más mínima duda. La tasa de crecimiento de la Corporación Acuario & Orión no admite comparación con ninguna otra. Su gestión se considera de increíble eficacia.

—¡Gracias! Sin embargo, algún error he debido cometer puesto que últimamente las cosas se han complicado. Cuatro de mis más directos colaboradores han muerto en extrañas circunstancias, continuamente sufrimos atentados de la más diversa índole, nos sabotean las obras que tenemos en ejecución, lo que implica retrasos en las entregas, lo cual nos cuesta verdaderas fortunas, nos han robado documentos de gran importancia así como un cuadro de incalculable valor, y por si todo ello no bastara estoy amenazado de muerte.

—¡Diantres!

—En la última carta que he recibido me aseguran que no veré el Año Nuevo. Y lo peor del caso es que tengo sobradas razones para creerlo.

—¿Y eso por qué?

—Porque no piden nada a cambio.

—Explíquese.

—Cuando se intenta extorsionar a un hombre como yo, y le aseguro que no es la primera vez que ocurre, siempre se exige algo a cambio, por lo general dinero o incluso parar las obras de una presa que afecta a muchos que se consideran seriamente perjudicados por tener que abandonar sus hogares. Son gajes del oficio, y como tal los acepto. Pero desde el momento en que alguien te escribe contándote, con todo lujo de detalles, cómo se las arregló para acabar con tu vicepresidente ejecutivo y asegura que eres el siguiente en la lista, las cosas cambian mucho.

—Tenía entendido que Mathias Barriere se había suicidado.

—¡Y yo! —fue la sincera y un tanto desconcertante respuesta del dueño de la casa—. Nunca entendí por qué razón lo había hecho hasta que me aclararon que jamás apretó el gatillo de ese revólver.

—¿Y qué opina la policía?

Romain Lacroix se limitó a vaciar la ceniza de su habano en un pesado cenicero de cristal de Bohemia y tras resoplar tal como al parecer tenía por costumbre, replicó:

—Nada. La policía no opina nada al respecto, puesto que nunca les he hablado de esa carta.

—¿Por qué?

—Porque hasta el día de hoy no han resuelto ninguno de los problemas que me preocupan. Ni las muertes, ni los robos, ni las amenazas, ni los atentados. ¡Nada de nada! Y ya me he cansado de responder a sus estúpidas preguntas.

—¿Y por eso estoy yo ahora aquí?

—¡Exactamente! Necesito eficacia. Discreción, agilidad y eficacia. Necesito que alguien me aclare por qué razón muere mi gente, sabotean mis empresas, o me roban un cuadro por el que no piden rescate aun a sabiendas de que nunca lo conseguirían vender.

—¿Por qué razón no lo conseguirían vender?

—¿Un Van Gogh? ¡No me haga reír! Usted sabe muy bien que nadie en su sano juicio pagaría por un Van Gogh que nunca podría exhibir sin ir a la cárcel, ni la mitad de lo que pagaría la compañía que me lo aseguró. Pero los ladrones ni siquiera se han puesto en contacto con ella.

—¡Curioso! ¡Muy curioso! ¿Cuánto hace de eso?

—Más de un año. ¡Demasiado tiempo! Y de lo que estamos convencidos, es de que no se ha hecho la menor intención de poner ese cuadro en el mercado. —Hizo una intencionada pausa para recalcar—: O al menos la policía no ha sido capaz de detectarlo. Lo queramos o no son burócratas a los que les gusta hacer su trabajo metódicamente y para los que el tiempo carece de importancia. Y a mí ese tiempo se me acaba.

—Supongo que contará con un buen servicio de seguridad.

—El mejor del mundo, no lo ponga en duda. Docenas de hombres me protegen en todo momento, pero eso tan sólo me convierte en un prisionero de lujo en una cárcel de oro. Y no me gusta vivir así.

—Lo entiendo. Convertirse en uno de los hombres más poderosos del mundo para acabar encerrado entre cuatro paredes no es algo que apetezca.

—Gaetano Derderian apuró el contenido de su copa, la depositó sobre la mesa y se volvió a observar directamente a aquel hombre que tenía más aspecto de campesino montañés o jugador de rugby, que de presidente de una de las multinacionales más poderosas del planeta—. ¿Qué quiere que haga exactamente?

El otro se puso de nuevo en pie, se encaminó a la descomunal mesa de despacho de auténtica madera de ébano y se acomodó tras ella como si le protegiera de todos los peligros y aquél fuera el lugar más apropiado para tomar decisiones.

—Lo que deseo que haga «exactamente» es averiguar qué diablos está pasando, y quién o quiénes la han tomado conmigo y con mi compañía.

—¿Nada más?

—¿Le parece poco? Hasta ahora nadie ha conseguido avanzar un solo metro en la investigación.

—No me refiero a eso. Me refiero a que si no pretende más que la información sin exigirme que tome medidas contra ellos.

—¡En absoluto! —replicó Romain Lacroix aparentemente escandalizado—. ¡Ni por lo más remoto! Usted proporcióneme esos nombres y yo en su momento decidiré si debo acudir a la policía o busco otros métodos.

A la pregunta le sobraba ironía.

—¿Más discretos, ágiles y eficaces?

—¡Desde luego! ¿O tal vez se comportaría usted de otra manera si estuviera en juego su vida o todo lo que ha conseguido levantar a base de muchos años de esfuerzo?

—Tenga por seguro que me comportaría de idéntica manera, pero como no soy yo quien se encuentra en tal situación resulta muy conveniente que establezcamos desde el primer momento cuál es mi papel en todo este asunto para que luego no haya malentendidos.

—Estoy de acuerdo.

—En ese caso damos por sentado que yo me limito a averiguar la verdad sin que ni usted ni nadie opine o interfiera en mi trabajo, y más tarde usted aplica la solución que crea más conveniente sin que yo opine o interfiera.

—Veo que nos entendemos. ¿Qué necesita?

—Toda la información que pueda proporcionarme, colaboración por parte de su gente y libre acceso a todas las empresas que se hayan visto afectadas.

—¡Cuente con ello! ¿Dinero?

—No de momento, pero le repito que nuestros honorarios son, con mucha diferencia, los más altos del mercado. Hay quien ha llegado a considerarlos astronómicos.

—No se preocupe por eso —le hizo notar el dueño de la lujosa mansión al tiempo que se erguía en su asiento dando por concluida la entrevista—. En el mundo de las altas finanzas, el único precio realmente astronómico es el de la vida humana. En especial, si se trata de la vida del presidente de la compañía. El resto siempre acaba en el capítulo de «pérdidas y ganancias». Y las pérdidas desgravan en la declaración de Hacienda.

Tres horas más tarde, el brasileño recibía en su lujosa suite del hotel George V a Madeleine Perrault, su persona de confianza en Francia desde hacía ya muchos años, y en la que el tiempo había comenzado a dejar ya su huella, pese a lo cual continuaba siendo una mujer particularmente atractiva.

—Cuéntame todo lo que sepas sobre Romain Lacroix —pidió.

—¿Todo? —inquirió la otra sorprendida—. Puedo pasarme horas hablando.

—Todo aquello que creas que puede ser de alguna utilidad. Nos ha contratado sin discutir el precio.

—Puede permitírselo —respondió la francesa de inmediato—. Pero si no te ha discutido el precio quiere decir que tiene graves problemas. No es hombre al que le guste regalar nada.

—¿Avaro?

—«Caprichoso» diría yo. No se amasa una fortuna como la suya dilapidando el dinero.

—¿De dónde ha sacado esa fortuna?

—De aquí y allá.

—Lugares remotos que nunca he conocido. Especifica.

—Lacroix procede de una familia medianamente acomodada que le envió a los mejores colegios, donde compartió aula con algunos de los líderes políticos que están hoy en día en el candelero, aunque siempre se ha esforzado en ocultar sus preferencias ideológicas, si es que tiene alguna. Brujuleaba sin rumbo fijo hasta que se casó con la hija de un ministro que le colocó en Helf Aquitania, que como supongo que sabrás siempre ha sido el nido de corrupción más importante de este país.

—Eso es algo de dominio público. Continúa.

—De la noche a la mañana comenzó a moverse en las altas esferas del poder como pez en el agua, hasta que consiguió que el gobierno le vendiera, a precio de saldo y prestándole el dinero, una de las grandes constructoras estatales. En ese momento se divorció de su primera esposa, cuyo padre ya había dejado de ser ministro, y se lió con la actual, que había sido miss Universo y estaba casada con un magnate de la televisión venezolana.

—Recuerdo el escándalo.

—A partir de ahí su ascensión fue realmente imparable, sobre todo por el hecho de que, a la chita callando, se había ido haciendo con el control de algunos de los principales medios de comunicación del país, lo que le brindaba una especial protección a la hora de evitar los ataques.

—Veo que estás dibujando lo que se considera «un clásico».

—A la hora de trepar ni el mítico Indurain se le pegaría a la rueda.

—¿Algún negocio relacionado con las drogas?

—No, que yo sepa. Y a mi modo de ver es demasiado listo como para meterse en algo tan peligroso. Ni es su estilo, ni lo necesita.

—¿Tráfico de armas?

—Tampoco.

Gaetano Derderian cerró los ojos y pareció sumirse en una profunda meditación, y su acompañante, que le conocía muy bien, ni siquiera pestañeó consciente de que cuando su jefe entraba en uno de aquellos trances en los que se diría que se alejaba por completo de cuanto le rodeaba prefería que nadie le molestara.

El pernambucano tenía justa fama de poseer una mente brillante y profundamente analítica que acostumbraba a almacenar datos como si se tratara de un gigantesco ordenador que se iba cargando poco a poco de toda aquella información que le serviría en su momento para encontrar el camino apropiado.

Cuando al cabo de quince minutos pareció que se había quedado profundamente dormido reaccionó para volverse a observar a su interlocutora e inquirir:

—¿A tu modo de ver quién podría querer matarle?

—Si abres la guía de teléfonos por cualquier página siempre encontrarás a alguno al que le encantaría joderle, pero no sé si hasta el punto de matarle. Lacroix es como un tanque que avanza por la vida aplastando gente y resulta plausible que alguien no se lo haya tomado con deportividad. Una ex mujer celosa, un ex marido engañado, un empresario arruinado, un político defenestrado. La lista es muy larga y hay mucho donde elegir.

—Todos esos enunciados se basan en un único concepto: venganza. ¿Acaso no podrían existir otros?

—¡Naturalmente! Ambición. Si Romain Lacroix muriera su imperio se desgajaría en mil pedazos, y supongo que la mayor parte iría a parar a una espectacular esposa de la que las malas lenguas aseguran que sólo abre la boca para echarse un trago de ron.

—¿Ron? —Se sorprendió su interlocutor—. Siempre creí que esa era una bebida de marinos y camioneros.

—A los venezolanos de clase baja les encanta el ron. Por lo visto, Naima Fonseca nació en una chabola del extrarradio de Caracas, y dicen que no aprendió a leer y escribir hasta que empezaron a prepararla para ser «miss». —La francesa hizo una significativa pausa para añadir—: Y al parecer de poco le ha servido.

—Me sorprende que un hombre tan inteligente como Lacroix se haya casado con una mujer así.

—Los hombres inteligentes tan sólo suelen serlo de cintura para arriba, querido —puntualizó Madeleine Perrault, segura de lo que decía—. Cuanto mejor les funciona la cabeza, peor les funciona el resto.

—¿Lo dices por experiencia?

La otra asintió repetidas veces.

—Una muy larga y muy amarga experiencia.

A mi modo de ver, en cierto tipo de hombres el tamaño del cerebro está en proporción inversa al tamaño de su pito, y no me refiero concretamente a su capacidad de hacer el amor, que en eso no me meto, sino en su capacidad de elegir una mujer acorde con su inteligencia.

—Jean Pierre no era estúpido. Recuerdo que solíamos mantener largas charlas realmente fascinantes.

—¡Desde luego! Y si hubiera sido tan brillante en la «sobrecama» como solía serlo en las «sobremesas», aún seguiríamos casados. Pero por desgracia llegaba a la hora de la verdad con la lengua reseca y agotada.

—¡Guarra!

—¡Mira quién fue a hablar! El profesor riñendo a la alumna por haber asimilado demasiado bien sus enseñanzas. ¡Si serás hipócrita!

—¿Es esa forma de hablarle a un jefe?

—¡No! Pero sí es forma de hablarle a un ex amante. La mayor parte de las «guarrerías» que sé me las enseñaste tú, así que no me vengas con remilgos. Y volvamos a lo que en verdad importa. ¿Qué más quieres saber sobre Romain Lacroix?

—Todo. Haz venir a nuestra mejor gente y que comiencen a investigar. Tenemos carta blanca, y la lógica indica que el problema tanto puede centrarse en su vida privada como en sus actividades públicas. Esa tal Corporación Acuario & Orión es como un inmenso pulpo que puede tener uno de sus tentáculos enfermos. Si conseguimos determinar cuál de ellos es, habremos dado un paso de gigante.

—Que yo sepa cuenta con más de cien empresas distribuidas por una veintena de países de los cinco continentes. No creo que resulte sencillo diagnosticar cuál o cuáles están dañadas.

Gaetano Derderian alzó el teléfono, rogó que le

reservaran una mesa en el Beluga y que le subieran dos tés con pastas.

Luego, como si la conversación no se hubiera interrumpido en lo más mínimo, señaló:

—Si fuera sencillo no nos contratarían, ni estarían dispuestos a pagar lo que pienso cobrarles. Lo primero que tenemos que hacer es descartar las empresas más pequeñas o las que parezcan menos conflictivas. Entiendo que el fútbol levanta pasiones, pero dudo que sea un delantero centro traspasado o entrenador destituido quien proporcione semejantes quebraderos de cabeza a nuestro amigo. Empecemos por concentrarnos en aquellos negocios que mueven cifras multimillonarias, puesto que alguien que roba un Van Gogh y no pide rescate no pierde su tiempo en tonterías.

—¿Le han robado un Van Gogh? —se asombró Madeleine Perrault.

—Eso parece.

—¿De su propia casa?

—Eso no es una casa. Es un museo. E imagino que el hecho de que alguien haya podido entrar y llevarse ese cuadro le obliga a comprender que con la misma facilidad puede entrar y cortarle el gaznate.

—Supongo que habrá reforzado las medidas de seguridad.

—Que resultarían totalmente inútiles si nadie ha entrado.

—¿Qué quieres decir?

—Que no debemos descartar *a priori* la posibilidad de que el enemigo se encuentre dentro. Tenemos que investigar a cuantos tengan acceso a la casa, incluso los parientes más cercanos. —El brasileño hizo una corta pausa, para inquirir al poco—: ¿Tiene hermanos?

—Dos. El mayor es catedrático de literatura, no sé si en Lyon o Marsella. A la menor, muy llamativa por cierto, la llaman, y con toda justicia, Juliette Camaleón.

—¿Y eso por qué?

—Porque cambia de apariencia y forma de hablar o comportarse según a quién se esté tirando. Y se tira a todo el que le apetece. Un día parece una auténtica lady inglesa, al otro una arriesgada deportista, al tercero una activista de los derechos humanos, poco después una intelectual al estilo Annie Hall, y si en ese momento está liada con un actor americano, una fiel seguidora de un lama tibetano o un gurú hindú.

—Lo que se dice una chiflada.

—Más bien lo que se dice un putón desorejado con menos personalidad que un espejo. Se convierte en fiel reflejo de quien tenga, no enfrente, sino encima.

—¿Con quién anda ahora?

—Te lo diré en cuanto salgan las revistas del corazón de esta semana porque me juego la cabeza a que las de la semana pasada se habrán quedado obsoletas.

—Abrigo la ligera sospecha de que no te cae bien.

—Me quitó un novio —fue la sincera confesión—. ¡Bueno! La verdad es que no me lo quitó; lo usó un par de semanas y me lo devolvió hecho un pingajo.

—¿René?

Ella le observó entre sorprendida y admirada para inquirir de inmediato:

—¿Cómo lo sabes?

—No lo sabía, pero lo deduzco porque tu querido René siempre se me antojó un subnormal.

—Es que lo era.

—En ese caso no entiendo por qué te enfadas con esa pobre chica si al fin y al cabo tú a él le ponías los cuernos a diario.

—¿Y cómo lo sabes?

—Porque se los ponías conmigo, ¡no te jode! ¿O es que ya no te acuerdas?

—¡Si tú lo dices…! —Madeleine Perrault sonrió ampliamente para acabar por lanzar un hondo suspiro—. ¡Dios, qué tiempos aquellos! Aún no se hablaba del dichoso sida, la vida era una fiesta y una andaba todo el día buscando las bragas debajo de las camas, los sofás y las mesas.

—E incluso bajo los asientos de los coches.

—¡Especialmente ahí! —admitió ella—. Y al recordarlo reconozco que no tengo ningún derecho a criticar a Juliette Lacroix.

—¿Por qué lo haces entonces?

—Por envidia, ya que me consta que se ha tirado a alguno de los tipos más atractivos que conozco.

—¡De acuerdo entonces! —sentenció Gaetano Derderian al tiempo que se ponía en pie con intención de abrirle la puerta al camarero—. Una vez admitidas nuestras culpas y hechas las confesiones pertinentes, dejemos a un lado la nostalgia de tiempos mejores y concentrémonos en el trabajo.

—¿Qué quieres que haga?

—Continuar investigando sobre nuestro buen amigo. Con harta frecuencia la solución a los problemas más complejos es tan obvia que no sabemos verla de lo cerca que la tenemos.

—¿Tienes alguna idea sobre por dónde van los tiros?

—¡Oh, vamos! —fingió escandalizarse su interlocutor—. Me conoces lo suficiente como para saber que jamás prejuzgo nada hasta estar completamente seguro de qué es lo que estoy juzgando. Y en este caso en especial me temo que es mucho lo que tenemos que investigar antes de tener la más remota idea de «por dónde van los tiros». —Hizo un significativo gesto hacia el aparato al señalar—: O sea que agarra ese teléfono y empieza a convocar a la gente. Los quiero aquí mañana.

Las oficinas centrales de la Corporación Acuario &
Orión en plenos Campos Elíseos estaban en perfecta consonancia con la mansión de su presidente.

El buen gusto, el lujo, la amabilidad y la discreción
eran las tónicas dominantes, y recorrer sus pasillos, sus
despachos y sus salas de juntas significaba tanto como
penetrar en un silencioso santuario consagrado en
cuerpo y alma a adorar al mítico becerro de oro, puesto que entre sus paredes únicamente se hablaba de
números seguidos por un mínimo de nueve ceros.

Y lo más llamativo de semejante lugar, era que
apenas se veía a nadie, y tan sólo cuando una puerta
se abría se distinguía a alguien acomodado tras un
severo escritorio de caoba hablando por teléfono o
concentrado en la pantalla de un ordenador.

En cada uno de los ocho primeros pisos se con-
centraba la dirección ejecutiva de cada uno de los
ocho principales campos de actuación de la compleja multinacional, mientras que en el noveno se encontraban los despachos de los directores generales de los
ocho grupos, y el décimo estaba ocupado íntegramente por las dependencias privadas del señor presidente.

Constructoras, eléctricas, telecomunicaciones, transportes, agua y alimentación, medios de comunicación, cinematografía y deportes conformaban las ocho columnas básicas sobre las que se asentaba el fabuloso imperio de Romain Lacroix, y cabría asegurar que las cifras que se movían en aquel, en apariencia, discreto edificio de piedra gris superaban con mucho los presupuestos anuales de la mayor parte de los países del llamado Tercer Mundo.

Una elegante «secretaria ejecutiva» que parecía haber sido recortada de la portada de una revista especializada en «secretarias ejecutivas» de poderosas corporaciones recibió con exquisita cortesía a los miembros del equipo de Gaetano Derderian, con el fin de comunicarles que había recibido la orden de ponerse a su entera disposición, así como facilitarles toda la información que pudieran necesitar para su auditoría.

—No se trata de ninguna «auditoría» —se apresuró a puntualizar Madeleine Perrault que encabezaba la nutrida y variopinta expedición—. No nos interesa saber cuánto ganan. Buscamos otra cosa.

—¿Como qué?

—Aún no lo sabemos.

La estirada, y por lo general imperturbable mujer, reaccionó como si hubiera recibido un sopapo en la nariz.

—¿Qué ha querido decir…? —balbuceó al fin.

—Lo que le he dicho: buscamos algo, no sabemos qué, y si lo encontramos se lo comunicaremos a su jefe, que si lo juzga conveniente se lo transmitirá a usted. Es todo lo que puedo decirle.

—Si el señor Lacroix está de acuerdo, y por lo visto lo está, yo no tengo nada que añadir al respecto. ¿Por dónde quieren empezar?

—¡Interesante pregunta, vive Dios! —Madeleine Perrault se volvió a los tres acompañantes que tenía más cerca—. ¿Por dónde diablos empezamos?

—Por el principio, naturalmente —fue la respuesta—. Del primer piso hacia arriba.

Durante tres semanas de duro trabajo los informes se acumularon sobre las mesas de las oficinas que se habían acondicionado a menos de doscientos metros de la sede de Acuario & Orión, y en las que el pernambucano pasaba largas horas estudiando en un agotador esfuerzo por hacerse una clara idea de cómo funcionaba un complejo entramado empresarial, en el que casi se podría asegurar que no existía un solo apartado de la actividad humana en el que Romain Lacroix no tuviera intereses.

Una noche sí y otra no reunía a sus principales asesores en torno a la mesa de un reservado de los mejores restaurantes de las proximidades, con el fin de cambiar impresiones e intentar desbrozar la espesa jungla en la que se habían adentrado, y que más impenetrable parecía volverse cuanto más la estudiaban.

—Últimamente ha habido tantas fusiones y absorciones, que no me sorprendería que cualquier empresario perjudicado hubiese decidido tomar cumplida venganza, porque a lo que nos enfrentamos es a una auténtica guerra de intereses en la que los cañones y los tanques han sido sustituidos por «opas» hostiles y compra fraudulenta de acciones —sentenció una de esas noches Gerry Kelly, «el segundo en el mando», y que solía ser hombre de pocas palabras aunque en ocasiones no lo demostrara—. Me temo, y creo estar expresando el sentir general, que este es el trabajo más difícil que nos hayan encomendado nunca.

—Y el más apasionante —sentenció Gaetano Derderian—. Si lo analizamos con detenimiento llegaremos a la conclusión que esta será la primera investigación que se haga en torno a lo que constituirá el mundo del futuro.

—¿Qué pretendes decir con eso?

—Que nos enfrentamos a un claro ejemplo de esa globalización neoliberal de la que tanto se habla, y que tantos problemas está acarreando en estos últimos tiempos a la sociedad. Acuario & Orión es un conglomerado de empresas en las que lo único que importa es la cuenta de resultados, por lo que, a mi modo de ver, el concepto de nación está dando paso a un nuevo concepto de multinacionales que no poseen ejércitos, himnos, ni banderas, pero que tampoco se ven constreñidas a unas determinadas fronteras o unos principios sociales, éticos o religiosos.

—Eso significaría el triunfo del capitalismo a ultranza —no pudo por menos que mascullar Madeleine Perrault.

—¿Qué otra cosa cabe esperar una vez que el fascismo ha desaparecido, el socialismo se descafeína y el comunismo agoniza?

—¿Estás pretendiendo insinuar con eso que nuestro papel actual es el de meros instrumentos de un nuevo tipo de guerra que no ha hecho más que comenzar? —quiso saber Gerry Kelly.

—No. No he querido decir eso —replicó la francesa sin inmutarse—. Pero ya que lo mencionas reconozco que tal vez ese era el concepto que me rondaba por la cabeza. ¿Tienes una idea de cuánta gente depende directa o indirectamente de las decisiones de nuestro amigo Lacroix?

—Ni la más mínima.

—Pues yo calculo que serán poco más de cuatro millones de personas diseminadas por unos veintitrés países. Y la suya no es, ni con mucho, la mayor de las multinacionales que existen en la actualidad.

—¡Qué barbaridad!

—¡Un momento! —intervino Gaetano Derderian en tono conciliador—. Estoy de acuerdo en que la discusión resulta interesante e ilustrativa, pero lo cierto es que nos estamos desviando del tema que nos ocupa. No estamos aquí para dilucidar si el mundo del futuro será mejor o peor que el anterior, y si debemos participar o no en ese juego, a no ser que opinéis que deberíamos quedarnos al margen, en cuyo caso aceptaría la decisión de la mayoría.

—¡Por nada del mundo!

—¡En absoluto!

—Se trata de una gran putada, pero de una putada realmente apasionante —señaló Gerry Kelly—. Es como jugar al monopoly pero con calles, casas y hoteles de verdad.

—Te recuerdo que no participamos en el juego y que nuestra misión se limita a impedir que se carguen de forma antideportiva a uno de los contendientes.

—¿Y te parece poco?

—No. No me parece poco. Lo único que me parece es que desconocemos la mayoría de las reglas de ese juego y la identidad de los participantes. —El pernambucano observó uno por uno a todos los comensales para acabar por inquirir—: ¿Alguna idea sobre qué departamento podríamos descartar en un principio?

—Las eléctricas —señaló de inmediato Indro Carnevalli, el miembro más joven y el último integrado al equipo—. Las he estudiado a fondo y mi impresión es que se encuentran en perfecta armonía con sus competidoras. Desde hace cinco años se distribuyen amigablemente el mercado, actúan al unísono y ob-

31

tienen fabulosos beneficios, por lo que ninguna de ellas parece tener el menor interés en romper la baraja.

—¿Alguna actividad más?

—Telecomunicaciones. El mercado se encuentra en franca recesión, se han perdido miles de millones y todo el mundo parece más empeñado en quitarse el muerto de encima, que en enfrascarse en una lucha por algo a lo que no se le ve futuro a corto plazo.

—¿Deportes?

—Mucho dinero sucio en torno a los fichajes, pero al fin y al cabo cosa de poca monta cuando hablamos de las sumas que aquí se barajan. Es más un motivo de orgullo y de prestigio personal que un verdadero negocio que amerite asesinar a nadie.

Gaetano Derderian quedó en silencio jugueteando pensativo con un terrón de azúcar antes de decidirse a echarlo en el café, por lo que todos los presentes se mantuvieron expectantes, pues sabían que en esos momentos no le gustaba que le molestaran.

Al fin dejó caer el azúcar en la taza, comenzó a revolverla con estudiada parsimonia y señaló:

—¡De acuerdo! De momento dejaremos en un segundo plano las eléctricas, las telecomunicaciones y los equipos de fútbol, lo que no significa en absoluto que se descarten. —Se dirigió ahora al hombrecillo de nariz afilada y cara de lechuza que ocupaba el otro extremo de la mesa, y que hasta el momento se había limitado a escuchar en silencio, e inquirió interesado—: ¿Qué puedes aclararnos en lo referente a las relaciones familiares?

—Nada.

—¿Nada?

—Nada de nada —insistió Noel Fox con la peculiar flema habitual—. Necesito más tiempo.

—Tú siempre necesitas más tiempo, lo sé —admitió armándose de paciencia el brasileño—. Para mi desgracia te conozco hace años y me consta que antes de dar un paso en falso te dejarías cortar una bola, pero en estos momentos no estoy exigiendo que nos entregues un informe «oficial», sino únicamente rogándote que nos aclares aquí, en *petit comité*, cuáles son tus primeras impresiones personales, eximiéndote de cualquier futura responsabilidad al respecto.

—¡De acuerdo! En primer lugar, y a mi modo de ver, Naima Fonseca, «navega con bandera de pendeja».

—¿Y eso qué diablos quiere decir? —quiso saber Gerry Kelly.

—Es una expresión muy típica de su país. En Venezuela, «navegar con bandera de pendejo» es algo así como fingirse tonto para que los demás no te tomen en serio.

—En Nápoles suele decirse, «hacerse el Claudio», en recuerdo del emperador romano que supo engañar a todos cuantos aspiraban al trono, que lo tenían por bobo —intervino Indro Carnevalli—. Ese tipo de personas suelen ser muy peligrosas.

—Yo no me atrevería a decir que lo sea —puntualizó Noel Fox—. Lo único que he conseguido averiguar es que Naima Fonseca siempre destacó por su increíble belleza y por una aguda inteligencia natural que en menos de tres años la condujo de una chabola a un palacio. Y yo opino que si bien con el tiempo la belleza se marchita, la inteligencia no.

—Es posible que el abuso del ron le haya hecho perder facultades —aventuró Madeleine Perrault—. Yo tuve un marido alcohólico que pasó del todo a la nada en menos de cinco años.

—No creo que sea el caso —fue la convencida

respuesta—. La señora Lacroix nunca bebe antes de comer, tampoco lo hace cuando está sola, y a mi modo de ver esa es la mejor prueba de que su supuesta afición al ron es más una «pose» que un vicio.

—¿Pero por qué? —quiso saber Gerry Kelly—. ¿Qué saca una mujer tan extraordinariamente hermosa haciendo creer a los demás que está dominada por un vicio si no es cierto?

—Aún no lo sé.

—¿Pretende que le sirva de tapadera para algo peor?

—Es posible —replicó sin inmutarse su interlocutor—. Pero como aún no he conseguido averiguarlo, prefiero no hablar de ello.

—¿Y qué puedes decirnos sobre su hermana Juliette?

—Que hay fábricas de preservativos que sobreviven gracias a ella. Los manda comprar por cajas. Y no es de las que fuma entre polvo y polvo porque no le da tiempo ni de encender un cigarrillo.

—¿Una auténtica «comehombres»?

—No sólo se come a los hombres.

—¿Intentas decirnos que también…?

Tras un leve gesto de asentimiento, Noel Fox añadió:

—Si son jóvenes y tiernos no suele hacerles ascos.

—¡Ya lo decía yo!

—¡Menuda familia! Nos queda el hermano. ¿Qué sabes de él?

—Que sin duda se trata de la «oveja negra» de la familia, porque es un buen marido, un buen padre y un buen catedrático. Ni una mancha en su historial, hasta el punto de evitar, en lo posible, que se le asocie con su poderoso hermano.

—¡Misterios de la genética! —no pudo por menos

que reconocer Gaetano Derderian—. Del mismo padre y la misma madre, puesto que viéndolos no se puede negar que sean hermanos, nacen dos especímenes absolutamente diferentes

—¿Lo mantenemos vigilado?

—¡Desde luego! Llevo demasiados años en este oficio como para no haber aprendido que, con demasiada frecuencia, donde menos se espera salta la liebre.

—Las posibilidades de que esté implicado en un asunto tan complejo son muy escasas.

—Lo sé, pero tampoco debemos menospreciar la idea de que cuanto ha acontecido, o pueda acontecer en un futuro, no responda a una única razón, sino que quizá tenga muy diferentes orígenes.

—¿Coincidencia?

—¿Por qué no? Admito que si se tratara de un personaje común y corriente, las posibilidades de que le ocurrieran tantas desgracias al mismo tiempo serían muy remotas, pero Romain Lacroix no es en absoluto un tipo corriente.

—¿Qué tiene de especial, aparte de su dinero?

—Que se mueve en muy diferentes campos, y su vida equivale a la vida de media docena de personas. Justo parece ser que le ocurran muchas más cosas que a cualquier otro, por lo que no debemos descartar que no provengan todas de la misma raíz.

—Nunca he creído en las coincidencias —sentenció Indro Carnevalli.

—Tampoco yo, pero lo cierto es que existen. Es más, se puede asegurar que casi todo en la vida es una mera coincidencia, aunque donde únicamente no se puede admitir que exista es en la literatura, que en eso se aparta de la vida real. Ningún escritor serio aceptaría que una obra suya se basara en simples coincidencias y no en la lógica más absoluta. —El brasileño dobló su servilleta como si con ello diera por concluida la cena y la conversación para añadir—: ¡Bien! Avanzamos despacio, pero avanzamos.

—¿Seguimos por el mismo camino?

—¡Naturalmente! La semana que viene quiero que el círculo se haya estrechado un poco más y tengamos una clara idea de hacia qué puntos concretos debemos encaminar nuestras investigaciones.

Gaetano Derderian Guimeraes amaba el silencio, y lo amaba de una forma casi obsesiva, hasta el punto de que ordenó que acolcharan las paredes de su despacho de los Campos Elíseos, de forma que cuando se encerraba en él no se percibía ni el rumor que pudiera hacer el vuelo de una mosca.

Y es que su verdadero oficio era pensar.

Su cerebro acumulaba todo tipo de información, la procesaba, y llegado el momento colocaba los pies sobre la mesa, cerraba los ojos y permitía que el interior de su cabeza se transformara en un inmenso revoltijo; una especie de enmarañada selva por la que comenzaban a abrirse paso las ideas como en los viejos tiempos en que procesaba, de memoria, complejas partidas de ajedrez.

Hablaba correctamente seis idiomas, había aprobado, con las mejores calificaciones posibles, cuatro carreras, y era un experto en innumerables aspectos de la actividad humana, pero su mayor mérito estribaba sin duda en su portentosa capacidad de análisis, puesto que siendo muy joven había llegado a la conclusión de que si la gimnasia desarrolla los músculos, la reflexión desarrollaba la mente hasta unos límites insospechados.

Quienes le conocían bien tenían conciencia de que su principal virtud estribaba en haber conseguido asociar de forma sorprendente el sentido común propio de un viejo profesor de matemáticas con la desbordada imaginación de un adolescente, lo cual le conducía a encontrar a menudo sencillas soluciones a complejos problemas por los caminos más insospechados.

Había quien opinaba que estaba desperdiciando su talento, y que su verdadero puesto estaba al frente de un equipo de científicos de la NASA, o investigando sobre cualquier tipo de cosas en cualquier universidad de prestigio, pero él sabía muy bien que la monotonía propia de una investigación excesivamente rigurosa se convertía a la larga en su principal enemigo, y lo único que conseguía era anular de forma radical sus portentosas facultades.

Cuando, cumplidos los treinta años, llegó a la conclusión de que el mundo había cambiado y la sociedad evolucionaba hacia formas de comportamiento cada vez más complejas, intuyó que la nueva problemática que dicha evolución generaba exigiría, más pronto que tarde, una nueva forma de encararlos que nada tenía que ver con cuanto se conocía hasta el presente.

Si el mundo de las huellas dactilares había dejado paso al mundo del ADN, y el botín de un atraco a mano armada quedaba en ridículo frente a los ingentes beneficios que podían conseguir los ladrones informáticos sin moverse de su casa, el obsoleto detective privado de lupa, revólver y gabardina tendría que dar paso, de igual modo, a un tipo de investigador que supiera echar mano, en todo momento, de los más sofisticados adelantos de la técnica.

Sin embargo, muy pronto llegó a la dolorosa conclusión de que aquella era una labor que nunca podría llevar a cabo por sí solo.

Por prodigiosa que fuera su capacidad intelectual y variados sus conocimientos, necesitaba rodearse de un equipo de ayudantes y asesores, y a ellos había dedicado los años que siguieron.

Iniciado el nuevo siglo, Derderian y Asociados había conseguido consolidarse como la «multinacional de la investigación privada» más sofisticada, elitista y digna de confianza a la hora de intentar aclarar extraños, espinosos o delicados asuntos.

Gobiernos, grandes empresas, museos, y sobre todo, compañías de seguros, conformaban la base de una nutrida cartera de clientes que solían abonar sin la menor discusión sus honorarios, puesto que era norma de la compañía no pasar minuta si no se obtenían los resultados apetecidos.

El día que Gaetano Derderian llegó a la conclusión de que había sido un ingeniero jefe quien había variado a propósito en dos milésimas de milímetro el diámetro de una tuerca, lo cual traía aparejado que al cabo de un tiempo los motores de una determinada marca de automóviles comenzaran a consumir un exceso de gasolina con el consiguiente descontento y rechazo por parte de los clientes, la compañía fabricante no sólo se ahorró millones de dólares, sino que evitó que en el futuro pudiera sufrir nuevos y sofisticados sabotajes.

Espías industriales, piratas informáticos y ladrones de guante blanco le temían infinitamente más que a la policía, puesto que tenían plena conciencia de que sus colaboradores, además de excelentes profesionales, contaban siempre con los más sofisticados adelantos de la tecnología punta.

En un mundo que se movía con excesiva rapidez,

el eterno enfrentamiento entre quienes trataban de infringir las leyes y quienes intentaban hacer que se cumplieran se estaba convirtiendo en una carrera cada vez más desenfrenada y confusa, puesto que con el masivo desembarco de las insaciables huestes de la corrupción a gran escala en la mayor parte de los estamentos sociales, cada vez resultaba más difícil determinar quién se encontraba a un lado de la frontera y quién a otro.

Derderian y Asociados se había empleado muy a fondo cuando recibió el encargo del recién elegido presidente Fujimori de determinar qué cuentas bancarias utilizaba el grupo terrorista Sendero Luminoso a la hora de abastecerse de armamento con fondos procedentes del narcotráfico, pero infinitamente más a fondo tuvo que emplearse a partir del momento en que años más tarde le encargaron que determinara qué cuentas bancarias había utilizado el ya depuesto Fujimori para sacar del Perú miles de millones de dólares igualmente relacionados con el narcotráfico.

Y lo más triste del caso estribaba en la constatación de que el hecho de que los lobos se devoraran entre sí no significaba en absoluto que las ovejas estuvieran a salvo, sino que por el contrario cabría asegurar que cuanto más luchaban más hambre les entraba y más ovejas devoraban.

El peor parado había sido, naturalmente, el pueblo peruano.

El brasileño había demostrado en infinidad de ocasiones que era de los pocos seres de este mundo que conseguía mantenerse neutral y sin desmayo al ritmo de tan confusos y acelerados tiempos.

Le costaba mucho, pero el cliente lo sabía, lo aceptaba y pagaba por ello.

Ahora, sentado en un rincón de su insonorizado

despacho, «encuevado» como un oso en invierno, pasaba largas horas reflexionando con la vista clavada en el enorme tablero de ajedrez que tenía delante.

Desde que abandonó los circuitos profesionales jamás había vuelto a jugar ni aun consigo mismo, pero el vacío tablero constituía para él una especie de singular agenda, ya que en cada una de sus casillas iba colocando, mentalmente, cada una de las piezas del problema que le habían pedido que resolviera.

Años de jugar complejas partidas de memoria le habían ejercitado a la hora de determinar sin la menor duda dónde se encontraba cada peón, cada caballo o cada torre en todo momento, por qué razón estaba allí, y qué misión se esperaba que cumpliera en un futuro.

A partir del momento en que Gaetano Derderian Guimeraes conseguía colocar cada pieza del puzzle en cada casilla del tablero sabía por experiencia que acabaría por encontrar la solución, pues a partir de ese momento se trataba «únicamente» de establecer cuántos miles de combinaciones diferentes podían darse, tal como se darían en una compleja partida de ajedrez.

Y eso era algo que su padre había comenzado a enseñarle cuando aún no levantaba tres palmos del suelo.

—Lo peor de las buenas ideas es que flotan —solía decirle a sus compañeros cuando se interesaban por su forma de trabajar—. Una buena idea, flotando por ahí y sin fijarse en parte alguna, puede acabar por desaparecer o incluso por transformarse en una mala idea. Lo primero que hay que hacer es apresarla y colocarla en un casillero aunque no sea, en un principio, el más adecuado. Lo que en verdad importa es retenerla y poder contar con ella. Luego, cuando cada idea está en su sitio, debemos comenzar a entrecruzarlas muy despacio, desplazándolas e incluso confrontándolas pero recordando siempre dónde estaba cada una. Si la teníamos en la casilla «f 5» y vemos que ha iniciado un viaje que no le conduce a parte alguna, tenemos que devolverla a la «f 5» sin permitir que se quede en el aire molestando al resto.

—¿Pretendes decir con eso que tu mente está dividida en sesenta y cuatro casillas o departamentos?

—Básicamente así es como trabajo, aunque luego cada uno de esos departamentos esté dividido a su vez en sesenta y cuatro casillas, y cada una de ellas en otras tantas. Son como puertas que se van abriendo sucesivamente una tras otra, lo cual me permite encontrar el dato que buscaba con una cierta facilidad.

En cierto modo podría considerarse que el brasileño era un hombre tan adaptado al tiempo que le había tocado vivir que su cerebro había sido diseñado como si se tratara de un moderno ordenador que procesara la información desviándose una y otra vez por circuitos previamente determinados en un continuo avance hacia una respuesta coherente.

En sus mejores tiempos había llegado a jugar veinte partidas «simultáneas» con los ojos vendados, perdiendo una, empatando tres y ganando de forma espectacular las dieciséis restantes, lo que daba una clara idea de hasta dónde llegaba su prodigiosa memoria y su capacidad imaginativa a la hora de mover las piezas.

Debido a ello, aquellas primeras semanas las dedicaba a «procesar información» rellenando meticulosamente cada casillero a la espera del día en que pudiera sentarse a estudiar el problema en su conjunto.

Llegó un momento, sin embargo, en que pareció

comprender que ni tan siquiera el meticuloso trabajo de su gente le permitiría contar con todos los datos que necesitaba, por lo que se vio en la obligación de solicitar una nueva entrevista con Romain Lacroix.

Este le recibió en sus dependencias, en el último piso de la Corporación Acuario & Orión en los Campos Elíseos, y al pernambucano no le sorprendió excesivamente que el despacho fuera una copia exacta del que había visitado en el palacio de las orillas del río Loira, con la única diferencia de que los cuadros eran distintos aunque pertenecían de igual modo a Cézanne, Goya y Picasso.

—¿Y bien? —fue lo primero que dijo el francés al tiempo que encendía uno de sus gruesos y costosos habanos—. ¿Algún progreso?

—No demasiados —replicó con absoluta calma—. El entramado de sus empresas ha sido meticulosamente diseñado para que nadie consiga hacerse una clara idea de dónde empieza y dónde acaba la función de cada una de ellas, y sospecho que ni usted mismo sabe muy bien hasta dónde llegan ciertas ramificaciones. Resumiéndolo mucho podría señalar que me asalta la impresión de que existe una especie de «Estado dentro del Estado».

—¿Pretende hacerme creer que alguien me traiciona?

—En absoluto, puesto que no sé por qué barrunto que eso es algo que usted mismo ha propiciado.

—Explíquese.

—Es muy sencillo. A usted le consta que en determinados momentos alguna de sus empresas está obligada a actuar de forma llamémosle «abiertamente irregular» sobornando a ministros y funcionarios, o cerrando los ojos ante ciertos problemas que prefiere ignorar.

—¿Como por ejemplo?

—Que una de sus empresas alimentarias con base en Suiza utiliza como materia prima cacao procedente de Costa de Marfil, que resulta, evidentemente, mucho más barato que el procedente de otros países productores.

—¿Y eso qué tiene de malo?

—Que las gigantescas plantaciones de Costa de Marfil producen el cacao más barato por el simple hecho de que utilizan mano de obra infantil procedente de un auténtico «tráfico de esclavos» que cuesta la vida a millones de criaturas en el continente africano.

—¿Bromea?

—¿Me cree capaz de bromear con la vida de miles de niños?

—¿Tiene pruebas de ello?

—Las facturas de compra de su empresa.

—No me refiero a eso, porque supongo que está en lo cierto. Me refiero a ese supuesto tráfico de esclavos infantiles.

—Los medios de comunicación, incluidos muchos de los que usted controla, se han hecho eco de ello en los últimos tiempos, diversos organismos internacionales lo han denunciado con todo lujo de detalles, y si hasta el presente no ha querido darse por enterado debe ser porque prefiere mantenerse al margen, porque de ese modo, si algún día le preguntan le basta con asegurar, sin miedo a mentir, que ignoraba que su empresa importaba el cacao de Costa del Marfil.

—¿Y si en verdad lo ignorara?

—Sería porque usted mismo estableció en su momento que existían ciertos detalles que debía ignorar. Ha aplicado la teoría de no querer que su mano derecha sepa lo que hace la izquierda, y por lo tanto no debe sorprenderle ahora que yo le advierta que existen determinadas parcelas de su propio entretejido empresarial que se encuentran fuera de su control.

—¡Interesante!

—¿No pretenderá hacerme creer que también lo ignoraba?

—Significaría tanto como menospreciarle —admitió el francés al tiempo que abría un bar idéntico al de su casa del campo para extraer dos copas idénticas y servir de una botella de coñac idéntica—. Me consta que hay muchas cosas que ignoro porque prefiero ignorarlas, pero nunca imaginé que, tal como asegura, eso haya provocado que existan ramificaciones de mi organización que escapen por completo a mi control.

—Pues me temo que ha ocurrido, y no creo que deba sorprenderse de que así sea. Cuando se concede tanta autonomía a las personas o los departamentos, se corre el riesgo de que dicha autonomía vaya más allá de lo que en un principio se pensó, sobre todo si la persona en la que se depositó dicha confianza ha muerto pero el departamento continúa funcionando bajo otra dirección.

—Entiendo —admitió Romain Lacroix agitando una y otra vez la cabeza en un mudo gesto de asentimiento—. Hay quien se ha pasado de rosca en su celo por protegerme.

—Es una forma bastante diplomática de decirlo.

—Pero por lo que advierto usted no aprueba esa forma de diplomacia.

—No cuando le cuesta la vida o la libertad a miles de inocentes.

—Me agrada comprobar que el informe que me dieron sobre usted se ajusta plenamente a la realidad. Por lo visto jamás se calla lo que piensa.

—En especial en lo referente a mi relación con los clientes. Por lo general mi trabajo es ya de por sí lo suficientemente complicado como para dificultarlo aún más ocultando la verdad. Me mandó llamar porque es su vida la que está en peligro, no la mía, o sea que si en verdad le interesa conservar el pellejo es preferible que todo quede muy claro desde el primer momento.

—Sigo pensando que es usted un tipo muy inteligente, pero un pésimo diplomático —puntualizó Romain Lacroix sin poder evitar una leve sonrisa—. Pero debo admitir que no está aquí para «dorarme la píldora», puesto que de eso se encargan a diario miles de empleados. Supongo que le contraté para que hiciera exactamente lo que está haciendo, lo cual siempre es de agradecer.

—Y yo le agradezco que lo acepte.

—¡Qué remedio me queda! Aquel que busca la paja en el ojo ajeno negándose a ver la viga en el propio acaba por estrellarse, y quizá se deba a haber adoptado dicha actitud por lo que ahora me encuentro en esta situación. Si me he empecinado en volver la espalda a las consecuencias de algunos de mis actos, no debe sorprenderme que ahora me afecten. ¿Qué más quiere saber?

—Todo lo que pueda decirme.

—¿Sobre qué?

—Sobre cuanto se relaciona con su organización, pero muy especialmente con el llamado «Departamento de nuevas iniciativas», cuyo solo nombre ya provoca perplejidad, puesto que en buena lógica constituye una redundancia. Algo es «iniciativo» cuando es nuevo, y si no es nuevo no es «iniciativo». ¿A qué se debe semejante estupidez?

—A que mis subordinados no deben ser unos

expertos en semántica, y a que reconozco que no tenía ni la más remota idea de que existiera dicho departamento. ¿En qué sección se encuentra?

—En la de «Aguas y alimentación».

—¿Y para qué sirve?

—Confiaba en que usted me lo aclarara puesto que hemos constatado que cuenta con una numerosa plantilla y un presupuesto anual de trescientos millones de dólares. Aún no hemos conseguido averiguar en qué demonios se emplea tanto dinero y tanto esfuerzo, si por lo visto en seis años de existencia no ha promovido ni un solo negocio.

—¿Quién lo dirige?

—Un tal Claude Tabernier.

—Creo recordarle —admitió el francés—. Pero no tenía ni idea de que ocupara ahora ese puesto. Era uno de los hombres de confianza de Mathias Barriere.

—Mathias Barriere fue el que se suicidó, ¿no es cierto? —Ante el mudo gesto de asentimiento de su interlocutor, Gaetano Derderian no pudo por menos que añadir—: Curiosa coincidencia.

—Nunca me han gustado las «curiosas coincidencias».

—Pues ya somos dos.

Romain Lacroix cruzó tras la mesa, apretó el botón de un intercomunicador y ordenó de inmediato:

—Que suba Claude Tabernier, de la sección de «Aguas y alimentación».

Cinco minutos más tarde, un hombre muy alto y extremadamente delgado hizo su entrada, saludó cortésmente y tomó asiento, muy recto, muy serio y evidentemente desconcertado, en la butaca que su jefe le indicaba, y que de inmediato comentó en un vano esfuerzo por tranquilizarle.

—Antes que nada quiero que sepa que yo confiaba plenamente en Mathias Barriere, y que él confiaba a su vez en usted, o sea que no tiene por qué preocuparse.

—No estoy preocupado —replicó el recién llegado con absoluta naturalidad—. Únicamente estoy sorprendido. Es la primera vez que subo a la «planta noble».

—¡Bien! Vayamos al grano y le ruego que hable con total libertad puesto que el señor Derderian, del que supongo que habrá oído hablar en estos días, tiene que estar al corriente de todo. ¿Qué es lo que hacen ustedes exactamente en ese misterioso «Departamento de nuevas iniciativas»?

—¿A qué se refiere?

—Pues a qué clase de iniciativas suelen tomar.

—Ninguna.

La respuesta, escueta y espontánea, tuvo la virtud de descentrar al por lo general siempre centrado Romain Lacroix, que tras unos instantes de duda repitió:

—¿Ninguna?

—Ni la más mínima —insistió el otro.

—¿Pretende hacerme creer que existe un departamento en la corporación que no sirve absolutamente para nada?

—Yo no he dicho eso —se apresuró a corregirle Claude Tabernier—. Sí que sirve. De hecho somos de los que más trabajamos, pero lo que sí le aseguro es de que, pese a su nombre, jamás ha tomado la más mínima iniciativa. Es más, nuestra auténtica misión es la de ir siempre a remolque.

—¿A remolque de qué?

—De los acontecimientos.

—¿Qué clase de acontecimientos? Especifique, por favor.

—Digamos que constituimos la «retaguardia» de la corporación. Los «apagafuegos», o para ser más exactos la escoba encargada de barrer los cascotes que con frecuencia quedan repartidos aquí y allá cuando algo se rompe. Y le garantizo que con demasiada frecuencia «algo se rompe». —El larguirucho se estiró un poco más, se acomodó en su asiento como si empezara a sentirse seguro, y tras carraspear varias veces, añadió sin cambiar ni por un instante el tono monocorde de su voz—: Hace unos años Barriere me llamó para rogarme que me pusiera al frente de lo que podríamos llamar «fondos reservados», que deberían ser manejados con tanta discreción que ni siquiera usted debería tener clara conciencia de en qué se empleaban.

—¿Sobornos?

—Entre otras cosas. Como bien sabe, tanto usted como los directores generales suelen tratar los negocios de envergadura con personajes de alto rango con los que llegan a acuerdos que no trascienden de un determinado nivel. Pero ello no es óbice para que acostumbren a quedar «ciertos flecos», e incluso elementos francamente descontentos, que en determinadas circunstancias pueden poner en peligro el buen fin de un acuerdo altamente beneficioso. Nosotros nos preocupamos de evitar que dichos peligros lleguen a materializarse arreglando las cosas de un modo satisfactorio para todos.

—Concretando: lo que podríamos considerar corrupción de segunda categoría.

—Entre otras cosas.

—¿Pero por qué se llama entonces «Departamento de nuevas iniciativas»?

—Admito que es de lo más inapropiado —fue la sincera respuesta—. Pero sirve para justificar unos gastos que de otro modo llamarían poderosamente la atención. Nadie puede discutir que hayamos gastado un millón de dólares en la investigación de un nuevo fármaco, el desarrollo de un prototipo de automóvil que se suponía que funcionaría con pilas, o en el estudio de viabilidad de una plantación de caña de azúcar en Tanzania, pese a que nunca visitamos Tanzania. Pero lo que no se puede justificar es medio millón de dólares entregados a un subsecretario o un director general.

—Entiendo.

—De lo que sí puede estar seguro, es de que, en el orden interno, podemos justificar adónde ha ido a parar cada centavo, porque contamos con una detallada contabilidad que está a su disposición en todo momento. ¿Desea que se la traiga?

—¡No, por Dios! —se apresuró a replicar Romain Lacroix al tiempo que hacía un gesto de rechazo con las manos—. Confío en su palabra y en su buen criterio, del mismo modo que confiaba en el del pobre Mathias Barriere. De hecho, le ruego que considere que esta conversación no ha tenido lugar, ya que prefiero pensar que ese dinero se ha empleado en estudios de viabilidad en Tanzania, Filipinas o las Galápagos. Lo que sí le ruego es que atienda al señor Derderian en cuanto pueda necesitar sin ocultarle absolutamente nada.

—¿Nada de nada?

—Nada de nada, visto que resulta evidente que el día de mañana a él nadie intentará pedirle explicaciones sobre las actividades de un departamento de mi empresa.

—Se hará como dice. ¿Necesita saber algo más?

—Sólo una cosa: ¿sobre quién recaerían las responsabilidades en caso de que por cualquier circunstancia se descubriese algún tipo de ilegalidad?

—Antes recaían sobre el señor Barriere, y ahora recaerían sobre mí, naturalmente. Para eso me pagan, y muy bien por cierto. —Por primera vez el larguirucho esbozó lo que pretendía ser una sonrisa al señalar—: Pero no se preocupe, señor. Solemos tener mucho cuidado.

—¡Gracias! Eso es todo.

El ahora absolutamente tranquilo Claude Tabernier se volvió al brasileño para inquirir de nuevo:

—¿Usted necesita alguna aclaración?

—No de momento, pero mañana pasaré a verle.

—Cuando guste.

Abandonó la estancia, y tras unos instantes en los que ambos hombres parecieron estar asimilando cuanto allí se había dicho, el francés comentó como si se refiriera a un tema que nada tenía que ver con su persona.

—Sospechaba que algo así sucedía, pero le aseguro que siempre procuré mantenerme al margen. Por fortuna cuento con hombres que saben protegerme incluso de mí mismo.

—¿Le importaría que investigase a fondo las verdaderas actividades de ese departamento?

—¡Si aún lo cree necesario…!

—¡Desde luego! Si buscamos a alguien que se considera perjudicado y trata de vengarse, el mejor lugar para encontrarlo es sin duda entre los «platos rotos» que ese hombre se ha visto obligado a barrer.

—Suena lógico.

—¿Cuento entonces con su apoyo?

—¡Naturalmente! —le apuntó con el dedo—. Pero por favor sea discreto. Tanto, que ni siquiera yo me entere más que de aquello que resulte imprescindible… ¿Me ha entendido?

—Perfectamente. Aunque si me lo permite le diré

que a mi modo de ver sería la posición más peligrosa que podría adoptar en estos momentos.

—¿Y eso?

Ahora fue el pernambucano el que se puso en pie como si necesitase extender las piernas, acudió a observar más de cerca uno de los cuadros, y tras unos instantes de reflexión que en realidad parecían destinados a que su interlocutor se interesara aún más por lo que tenía que decir, señaló:

—Nunca me ha gustado hacer juicios rápidos, ya que aprendí muy joven que la precipitación siempre ha sido el peor enemigo de un jugador, pero ahora no se trata de una simple partida de ajedrez puesto que lo que corre peligro es su vida.

—¡No me asuste más que ya lo estoy bastante! —protestó el francés con un cierto sentido del humor—. Admito que fui yo quien le mandó llamar, pero lo que pretendo es que me tranquilice, no que me acojone.

—Nada más lejos de mi intención que «acojonarle» —le hizo notar el otro—. Lo único que pretendo es que deje de comportarse como un Pilatos que se lava las manos en todo aquello que pueda traerle complicaciones dejando que otros le hagan el trabajo sucio.

—Evidentemente continúa sin morderse la lengua.

—No me paga para que me la muerda.

—Lo sé mejor que nadie.

—Pues en ese caso tiene que tener en cuenta que en estos momentos no se trata de la remota posibilidad de que un juez más o menos quisquilloso le acuse de algo ilegal y usted se haya provisto de los elementos necesarios para que su ejército de abogados demuestren que se actuó sin su consentimiento...

—Eso también lo sé y por eso le hice venir.

—Se trata de que alguien que se salta las leyes, y por lo tanto se mea en su ejército de abogados, quizá se haya cargado a algunos de sus asesores, incluido el mismísimo Mathias Barriere, y tiene intención de arrancarle de cuajo la cabeza. —El brasileño se apoyó en la pesada mesa de madera de ébano y observó muy de cerca a quien le había contratado para añadir con marcada intención—: Por todo ello me temo que ha pasado el dulce tiempo de la ignorancia voluntaria y han llegado los amargos tiempos del obligado conocimiento de la verdad.

—También yo me lo temo. Y no me divierte la idea.

—¡Así es la vida! Tendrá que echarme una mano en la tarea de revolver en la basura que ha ido acumulando durante todos estos años o no me hago responsable de lo que le pueda suceder. —Gaetano Derderian abrió las manos en un gesto que parecía querer demostrar que todas las cartas estaban sobre la mesa y no había nada que ocultar al concluir—: Se trata de su vida, no de la mía, y por lo tanto será usted quien decida.

Claude Tabernier colaboró eficaz y amablemente, ofreciendo de buena gana cuantos documentos e información se le solicitaron, durante los tres primeros días.

Al cuarto su cadáver apareció flotando en las aguas del Sena.

La policía no encontró ni una sola prueba que permitiese abrigar la sospecha de un asesinato.

Pero tampoco parecía existir motivo alguno que justificase que un hombre que tenía un puesto importante y una mujer anodina con la que jamás había discutido ni sobre el contenido de los programas de la televisión, pusiera fin a su vida de forma voluntaria.

Gaetano Derderian le pidió a Noel Fox, que como ex policía estaba acostumbrado a manejar aquellos temas, que hiciera algunas discretas indagaciones, y aguardó pacientemente la llamada de Romain Lacroix que se encontraba en Nueva York.

El francés se mostraba ciertamente aterrorizado y no se esforzaba en ocultarlo.

—¿Por qué? —repetía una y otra vez de un modo casi obsesivo—. ¿Por qué? Es el segundo jefe de ese departamento que supuestamente se suicida. ¿Por qué?

En buena lógica el pernambucano no tenía respuesta alguna que proporcionarle, por lo que optó por encerrarse una vez más en su despacho y tomar asiento frente al inevitable tablero de ajedrez esforzándose por colocar aquella nueva pieza del rompecabezas en la casilla que le correspondía.

Pero lo cierto era que no encontraba la casilla apropiada puesto que a su modo de ver aquella partida se estaba desarrollando de una forma harto extraña.

Si en verdad no se trataba de un suicidio o un improbable accidente, sino de un crimen premeditado, el asesino se estaba comportando de una forma ciertamente irracional, y la irracionalidad tenía la virtud de desconcertar a un hombre que solía actuar bajo las más estrictas normas de la lógica.

¿Qué sentido tenía correr riesgos eliminando a una pieza sin importancia del complejo organigrama de la gigantesca corporación cuando existían al menos medio centenar de ejecutivos de mucho mayor rango?

Evidentemente la motivación había que establecerla, no por el nivel que la víctima ocupara en el escalafón empresarial, sino en la importancia que se le diera al trabajo que hacía.

Claude Tabernier era «el barrendero jefe» de una multinacional que por lo visto ensuciaba demasiado, y no se hacía necesario ser un genio para reafirmarse en la idea de que en ese exceso de basura se ocultaba la clave del problema.

—Nuestro cliente ha debido joder mucho a alguien que no se lo ha tomado deportivamente —sentenció la noche en que se reunió a cenar con sus colaboradores en uno de los reservados de Les Troi Moutons—. Y se trata de alguien puñeteramente listo y retorcido. Resulta evidente que su venganza no se limita a cargarse a quien le jodió, sino que al parecer tiene la intención de hacerle sudar tinta antes de mandarlo al otro barrio.

¿Y qué culpa tenían Barriere, Tabernier y esos otros que según parece se ha echado al pico?

—Sin duda los considera cómplices.

—No parece creíble que Lacroix y Tabernier fueran cómplices en algo ilegal si, como tú mismo has dicho, apenas se conocían —sentenció Madeleine Perrault.

—Tal vez el asesino no lo sabe. O tal vez considera que todo el que trabaja para Lacroix es su cómplice.

—Nosotros trabajamos ahora para Lacroix.

—Pues te aconsejo que no te aproximes al Sena.

—¡Muy gracioso!

—No intento ser gracioso puesto que la experiencia me enseña que este tipo de asesinos en serie no suele tener sentido del humor. Se trata de un hombre obsesionado por lo que sin duda considera una canallada o una grave injusticia, y esos son enemigos muy difíciles de combatir puesto que nunca se puede predecir cómo van a reaccionar.

—¿Luego presupones que se trata de un solo individuo?

—¡No! —se apresuró a replicar el brasileño—. Me conoces lo suficiente como para saber que yo no presupongo nada. Tal vez se trate de un grupo, pero en este caso conviene considerarlo «el enemigo» aunque resulten ser varios individuos.

—¿Lo consideras lógico?

—¡En absoluto!

—¿Entonces?

—Cambiaremos de táctica, y sin abandonar el camino que estamos siguiendo y que evidentemente nos lleva a centrar cada vez más el tema en los parámetros que nos interesan, debemos introducir un nuevo elemento: la imaginación, puesto que entiendo que nuestro enemigo o enemigos la están utilizando.

—Gaetano Derderian hizo una corta pausa para observar uno por uno a todos los presentes, antes de inquirir—: ¿Qué os sugiere todo esto?

—Venganza.

—Esa es, sin lugar a dudas, nuestra primera opción, pero nos conviene barajar otras.

—Enfrentamiento entre empresas...

—Válida también.

—Lucha por el poder dentro de la propia corporación...

—Dudo que alguien discuta el liderazgo de Romain Lacroix pero podría darse el caso.

—Naima Fonseca. Si su marido muriese heredaría una fortuna incalculable. ¿Sabemos lo suficiente sobre ella?

—Nunca se sabe lo suficiente, por lo que estimo conveniente que enviemos a alguien a Caracas a investigar a fondo. Quiero saber qué amantes tuvo antes de casarse, dónde se encuentran ahora, a qué se dedican, y si han vuelto a mantener algún tipo de contacto. Alguien que juega a ser tonto tiene que ser muy listo.

—¿Acaso contemplas la posibilidad de un complot que se remonte a sus tiempos de soltera?

—Yo nunca contemplo ni descarto ninguna posibilidad, pero resulta evidente que Naima Fonseca se las ingenió para casarse en primer lugar con uno de los hombres más ricos de su país, al que al cabo de cuatro años cambió por uno de los hombres más ricos del mundo. Y a mi modo de ver eso no se consigue únicamente con un buen par de tetas.

—También tiene el mejor culo que he visto nunca —sentenció muy serio Noel Fox.

—Y unos ojos increíbles.

—¡Pues anda que la boca…!

—¡Basta! —protestó el pernambucano—. Estoy de acuerdo en que probablemente se me caerían los pantalones en su presencia, pero lo que me interesa de ella no es lo que está a la vista, que admito que es mucho y muy bueno, sino lo que no se ve, y que tal vez no sea tan bonito ni tan gratificante.

—Yo se lo perdonaría todo —admitió convencido Gerry Kelly.

—Sois como perros en celo —sentenció una evidentemente malhumorada Madeleine Perrault—. ¡Machistas de mierda!

—Todo lo machistas que quieras… —admitió sonriente Indro Carnevalli—. Pero me juego una cena en Maxim's a que te encantaría que resultara ser la mala de la película.

—¡Pues no te digo yo que no…! Ya que Dios le dio tanto, parece justo que el diablo también le haya dado algo.

—¡Qué hija de puta!

—¡Dejad las bromas! —intervino una vez más Gaetano Derderian—. Un hombre al que he conocido personalmente ha muerto, lo cual significa que de alguna manera me siento implicado en el tema de un modo más directo. Convendría determinar si el hecho de que nos estuviera ayudando a revolver en la basura tiene alguna relación con el caso.

—Eso significaría que algún miembro de la corporación, además de su presidente, sabía que estaba colaborando con nosotros.

—Lo había pensado, lo que me obliga a deducir que si existe un «infiltrado» no nos enfrentamos a un solo individuo sino más bien a una auténtica conspiración.

—¿O sea que estamos como al principio? —señaló Gerry Kelly—. Parafraseando a Groucho Marx, podríamos asegurar que tras cuatro semanas de duro trabajo, hemos pasado de la más absoluta ignorancia a un total desconcierto.

—No es la primera vez que nos ocurre, y lo que tenemos que hacer es continuar desbrozando el camino porque lo que resulta evidente es que aún nos queda una gran cantidad de información que procesar, pero sabemos dónde se encuentra.

Esa fuente de información se esfumó sin embargo dos días más tarde, porque, sin que nadie pudiera explicarse cómo había ocurrido, la mayor parte de los ordenadores de la flamante y ultramoderna Corporación Acuario & Orión sufrieron el ataque de un virus informático que destruyó en cuestión de minutos miles de datos que se habían ido almacenando a lo largo de años.

La sección más afectada fue, sin lugar a dudas, el «Departamento de nuevas iniciativas».

Existía, eso sí, un almacén del sótano en el que se conservaban miles de discos de seguridad, pero muy pronto se pudo constatar que muchos habían sido alterados cuando no sustituidos.

A Romain Lacroix se lo llevaban los diablos y no fingía.

Aullaba amenazando con despedir en el acto a todos los responsables del *staff* de informática, no sólo por tomar conciencia de que semejante desaguisado iba a costarle una fortuna, sino por la dolorosa constatación de que aquella era una prueba más de su evidente desamparo.

—¿Cómo puedo aspirar a proteger mi vida cuando no he sabido proteger ni a mis ejecutivos ni a mi empresa? —se lamentaba—. Me he gastado millones en los sistemas de seguridad más sofisticados del mercado y alguien lo ha abierto como quien abre una lata de sardinas. Si han conseguido penetrar en mi casa, mis ordenadores y mis cajas de seguridad, con idéntica facilidad entrarán en mi dormitorio.

Razones parecían sobrarle, al igual que le sobraban razones para sentirse angustiado, puesto que en cuestión de meses había pasado de considerarse en la cima del mundo, referencia obligada cuando se hablaba del éxito en la vida, y rey consorte de las revistas del corazón de medio mundo, a tomar plena conciencia de su insospechada vulnerabilidad, ya que lo que siempre había considerado una invencible escuadra de altivos navíos que avanzaba por los mares del mundo ganando batallas, estaba demostrando ser una mísera flotilla de endebles lanchones que hacían agua por todas las junturas.

De regreso de Nueva York, donde había estado supervisando la decoración de su nueva casa y sus nuevas oficinas, rogó al brasileño que acudiera a visitarle a su palacio de orillas del Loire, para lo cual le envió un helicóptero, que le depositó a menos de cincuenta metros de la puerta principal de la prodigiosa mansión.

Le aguardaba idéntico recorrido a través de los mismos pasillos y salones, siguiendo al mismo severo mayordomo, con idéntica espera en el mismo despacho idéntico al despacho de París, e idéntica entrada del mismo hombre vistiendo un chándal casi idéntico.

Pero en esta ocasión Romain Lacroix fue directamente al grano al inquirir casi con cierta ansiedad:

—¿Algún progreso?

—Depende de lo que usted considere «progreso» dado que nuestros puntos de vista no coinciden, en especial en lo que se refiere al tiempo que se necesita para llegar a conclusiones más o menos válidas. Admito que la franca colaboración de Claude Tabernier nos permitía avanzar con rapidez, pero su desaparición, y lo que casi es aún peor, el colapso de su sistema informático, nos ha frenado mucho.

—¿Cree que la razón principal de tal «colapso» está relacionada con sus investigaciones?

—Entra dentro de lo posible. Pero también entra dentro de lo posible, y le ruego que no se moleste por lo que voy a decirle, que el imperio que ha conseguido crear, tenga los pies de barro.

—Explíquese —suplicó su interlocutor cuyo eterno aire de superioridad de las primeras entrevistas se había ido diluyendo al igual que se diluye la sal en el agua.

Gaetano Derderian se tomó un tiempo para responder como si lo que en realidad estuviera estudiando fuera una delicada jugada de la cual podía depender el resultado de una complicada partida, y tras carraspear levemente, comenzó:

—No me resulta sencillo, pero lo intentaré advirtiéndole de antemano que se trata de mi opinión personal, aunque a mi modo de ver resulta aplicable no sólo a la Corporación Acuario & Orión, sino a la mayor parte de las grandes empresas multinacionales que han emergido en estos últimos años y que han dado pie a esos curiosos y confusos fenómenos que se han dado en llamar «globalización» neoliberal y los consecuentes movimientos sociales «antiglobalización».

—¿No me irá a decir ahora que es usted enemigo de la «globalización»? El mundo tiende hacia...

El pernambucano alargó la mano en un ademán de detener la avalancha de argumentos que al parecer le iban a caer encima, y con la más encantadora de sus sonrisas, suplicó:

—No nos enredemos en una discusión que no viene al caso, por favor. Y no menosprecie mi inteligencia al considerar que pueda estar en contra o a favor de algo, y en especial de algo tan complejo. Mi posición suele ser la del espectador que observa lo que ocurre y se limita a sacar conclusiones sin intervenir para nada en la disputa.

—Muy cómoda, supongo.

—No crea. Con demasiada frecuencia resulta mucho más cómodo mostrarse irracional apostando abiertamente por uno de los bandos, que mantener la cabeza fría tragándose los propios sentimientos. Más cómodo y más gratificante, pero no es este el caso. En lo que respecta a la globalización neoliberal, lo que pretendo decirle es que yo no opino si está bien o está mal porque supongo que tiene cosas buenas y cosas malas.

—¿Entonces? ¿De qué demonios estamos hablando?

—Estamos hablando de que usted, y otros muchos grandes financieros como usted, han decidido que les conviene diversificar sus actividades construyendo imperios que abarcan muchos países y muchas actividades.

—De ese modo se compensan los riesgos.

—O se acentúan. Antiguamente las grandes fortunas se basaban en una actividad en la que determinadas personas eran grandes expertos. El acero, el carbón, la banca, la industria textil o las navieras eran empresas cada vez mayores que iban pasando de padres a hijos, porque esos hijos mamaban el negocio desde la cuna.

—¿Y qué?

—Que los grandes magnates de hoy en día quieren saber de todo y demasiado a menudo invierten fortunas en actividades de las que no tienen la más puñetera idea. ¿Cuánto ha perdido estos dos últimos años con las tan traídas y llevadas «nuevas tecnologías»?

—Bastante.

—La verdad.

—Mucho.

—Mucho, no. ¡Muchísimo!, y lo sé porque estamos estudiando a fondo su empresa. Usted es muy bueno en ciertos campos, pero como a tantos otros le pierde la egolatría, y perdone que se lo diga con tanta crudeza.

—Empiezo a acostumbrarme a que jamás se calle nada.

—El poder se les sube a la cabeza y acaban por convencerse de que lo mismo pueden dirigir una constructora, una editorial o una compañía aérea porque en el fondo no les importa que una de ellas quiebre.

—Eso no es del todo cierto —protestó el dueño de la casa.

—Sí que lo es —insistió erre que erre el pernambucano—. Se limitan a cargarlo al capítulo de pérdidas y lo desgravan de lo que tendrían que pagarle a Hacienda. Pero no tienen en cuenta que cuando se da ese caso cientos de personas suelen perder sus trabajos y quizá sus ahorros de toda la vida porque ellos no tienen la posibilidad de «diversificarse». Y probablemente esa misma compañía manejada por un experto que le dedicara toda su atención, nunca hubiera quebrado.

—No soy estúpido, no me gusta perder dinero y

procuro poner siempre al frente a personas idóneas.

—No. Usted no pone al frente a las personas realmente idóneas, sino a aquellas personas de su entorno que considera que pueden ser idóneas, pero que con frecuencia no lo son. He visto cómo una docena de sus ejecutivos han pasado de un departamento a otro.

—Es lo que suelen hacer determinados presidentes de Gobierno que cambian de cartera a los ministros simplemente porque son de su partido. He conocido a abogados a los que marea la vista de la sangre de ministros de Sanidad, a peritos agrícolas de ministros del Ejército y a constructores ministros de Medio Ambiente.

—Cierto, pero usted actúa del mismo modo sin que le preocupe que tres mil obreros se queden en el paro en Polonia o dos mil mineros en Perú, puesto que serán los gobiernos de esos países los que tendrán que cargar con ellos. Juegan a ser transnacionales, pero cuando las cosas van mal se largan del país lavándose las manos.

—Tal vez tenga razón, pero también creamos muchos puestos de trabajo.

—Únicamente allí donde la mano de obra es barata y no les exigen demasiadas responsabilidades. Importa cacao de Costa de Marfil porque emplean niños esclavos y fabrica zapatillas de deporte en la India porque unos pobres muertos de hambre que trabajan quince horas diarias le cobran dos dólares por un par que sus grandes almacenes venderán a cien. ¿Quiere que continúe poniéndole ejemplos?

—No es necesario.

—Usted ha perdido mucho por meterse en algo de lo que no tenía ni idea, y ahora lo compensa pagando menos por el cacao. De esa manera equilibra los resultados de sus empresas, pero hubiera sido mucho más lógico y más justo que se hubiera concentrado en hacer bien aquello que sabe hacer.

—Si eso es lo que piensa, ¿por qué trabaja para mí?

—Tal vez porque si no lo hiciera no hubiera tenido la oportunidad de decirle lo que opino, y porque en el fondo me gusta lo que hago y lo hago muy bien, modestia aparte. —Gaetano Derderian lanzó un hondo suspiro y aspiró profundo como si necesitase mucho aire para continuar—. Pero si mañana se me ocurriera «diversificarme» metiéndome en un negocio para el que supiera que no me encuentro dotado, tenga por seguro que dejaría de tener el buen concepto que tengo de mí mismo, porque soy de la opinión de que no es más listo el que hace más cosas, sino el que sabe hacer bien una sola.

—¡Lástima que piense así! —replicó con una leve sonrisa irónica el francés—. Le confieso que se me había pasado por la mente ofrecerle un puesto de importancia dentro de mi organización. Es usted una de las personas más inteligentes que conozco.

—En ese caso debe tener muy claro que no lo aceptaría nunca. No me veo dirigiendo una productora de cine o un equipo de fútbol.

—Alguien con su cabeza aprendería con rapidez.

—Todo aprendizaje conlleva errores, y no podría dormir tranquilo sabiendo que mis errores le han costado caro a muchos inocentes. Siempre he creído que quien acepta un puesto de responsabilidad para el que no se encuentra capacitado es un ególatra al que le pierde la soberbia.

—¿Me considera una persona soberbia? —El francés se respondió a sí mismo al tiempo que asentía una y otra vez con la cabeza—. ¡Naturalmente! Ateniéndonos a la definición que acaba de dar soy un ególatra y un soberbio visto que demasiado a menudo me embarco en proyectos que quedan grandes.

—¿Y por qué lo hace?

—Porque me gustan los retos, pero lo cierto es que nunca me había detenido a pensar en que mucha gente puede salir malparada. —El francés se puso en pie, se aproximó al ventanal, contempló el paisaje del río y los jardines, y cambiando levemente el tono, añadió—: Tal vez con la edad me vuelva más responsable.

—Rezaré por que así sea.

—¡Muy amable! Y ahora dígame cuáles son sus planes, porque con toda esta conversación nos hemos alejado del problema que en verdad nos ocupa.

—Estoy pensando en hacer un viaje a Oriente Medio.

Romain Lacroix se volvió para observar a su interlocutor visiblemente perplejo.

—¿Y eso? —quiso saber.

—He analizado los discos que se guardaban en el sótano, los he cotejado con la información de que disponíamos, y he llegado a la conclusión de que existen grandes lagunas relacionadas con esa zona.

—¿Con Oriente Medio? —repitió el otro como si le costara admitir que pudiera estar hablando en serio—. No recuerdo que nuestras empresas allí me hayan dado más problemas que los normales en una región tradicionalmente conflictiva.

—¿Qué es lo que usted considera «problemas normales»?

—Amenazas, intentos de extorsión y algún que otro atentado. Nada que no pueda ocurrir de igual modo en Colombia, Ruanda, Filipinas o cualquiera de los muchos países en los que tenemos intereses.

—¿Nada más?

—No, que yo sepa. Como ya le hemos dicho, nunca nos hemos relacionado ni con las armas, ni con las drogas, y por lo que recuerdo todo lo que hemos hecho en aquella región ha sido legal, impecable y transparente.

—Sin embargo —fue la respuesta—, su «Departamento de nuevas iniciativas» dedica a la región mucho tiempo y muchísimo dinero.

—¿Y eso por qué?

—Se lo diré si lo averiguo.

—¡Mierda! —no pudo por menos que exclamar el dueño de la casa—. Empiezo a creer que hice mal al concederle tanta autonomía a Mathias Barriere sin molestarme en pedir explicaciones. ¡Oriente Medio! —masculló como para sí mismo—. Ahora que lo pienso, dos de los ingenieros asesinados habían trabajado en proyectos de la zona.

—¿Está seguro de eso?

—¡Completamente! ¡De acuerdo! Utilice uno de los aviones de la compañía y vaya a darse una vuelta por allí, pero por favor, téngame al corriente de lo que consiga averiguar.

Al abandonar el despacho del financiero, Gaetano Derderian se dedicó, como de costumbre, a seguir el rápido paso del impecable mayordomo, pero iba tan ensimismado en sus pensamientos y en la larga conversación que acababan de mantener, que no reparó en el hecho de que habían cambiado de ruta hasta que de improviso se encontró en el interior de un coqueto salón de estar y frente a la criatura más prodigiosa que hubiera visto jamás.

Ni siquiera su fama, que se extendía de un extremo a otro del planeta, hacía mínimamente justicia a la belleza de Naima Fonseca, puesto que contemplada de cerca se advertía de inmediato que toda ella emanaba un especial atractivo que ninguna cámara de este mundo hubiera sido capaz de captar.

Era alta, morena, de inmensos ojos de un color miel muy claro pero que parecían cambiar de tonalidad a cada instante, con largas piernas, cintura estrecha y pechos que apuntaban al cielo de forma natural pues resultaba evidente que no usaba sujetador, pero muy por encima de la perfección de su figura o de su rostro, destacaba la evidente sensualidad que irradiaba de cada uno de sus gestos, puesto que podría asegurarse sin miedo a equivocarse, que la esposa de Romain Lacroix constituía la esencia misma de cuanta mujer auténticamente irresistible hubiera existido a lo largo de la historia.

Era una diosa, y la mismísima Afrodita recién surgida de las aguas hubiera pasado desapercibida frente a la criatura más adorable del universo.

Sonrió apenas, podría creerse que al hacerlo un relámpago hubiera cruzado de improviso por la estancia, y el pernambucano agradeció que le invitara a tomar asiento con un gracioso gesto de la cabeza puesto que había advertido que le temblaban las piernas.

—¿Una taza de té?

Asintió con la cabeza barboteando algo ininteligible puesto que la lengua se le había convertido en un trozo de estropajo.

El mayordomo se encargó de servirlo para retirarse discretamente, y Naima Fonseca aguardó unos instantes mientras agitaba apenas su cucharilla como si tuviera plena conciencia de que el recién llegado necesitaba un cierto tiempo para recuperar el control sobre sí mismo; era consciente de la impresión que producía sobre los hombres y lo tenía asumido.

Por fin, y tras fingir no haberse percatado de que a su invitado se le habían derramado unas gotas de té sobre los pantalones, comentó con una voz profunda, grave y envolvente:

—Romain me ha hablado mucho de usted.

No obtuvo respuesta y podría creerse que de momento tampoco la esperaba, por lo que añadió a continuación:

—Está convencido de que es la única persona que puede resolver sus actuales problemas.

—¡Yo...! ¡Esto...!

—Nunca le había visto tan abatido, y creo sinceramente que teme por su vida.

—Motivos le sobran —acertó al fin a articular su oponente.

—Me preocupa.

—Lo comprendo.

Ella bebió muy despacio su infusión, alargó el brazo inclinándose para dejar la taza sobre la mesa con lo que el nacimiento de uno de sus pechos se adivinó más que verse, lo cual tuvo la virtud de conseguir que el pulso de su interlocutor se acelerara casi hasta los límites de la taquicardia.

—Supongo que se preguntará por qué he pedido que le traigan aquí sin previa invitación —aventuró al poco la venezolana.

—Me parece lógico que quiera saber de primera mano cómo están las cosas —fue la tímida respuesta.

—Se equivoca. No tengo intención de hacerle perder tiempo contándome algo que ya conozco. Según Romain las cosas se están complicando, y su mayor esperanza estriba en que usted haga bien su trabajo. Por lo tanto, lo único que pretendo es facilitárselo.

—¿A qué se refiere?

—A que pese a lo que algunos crean, pero supongo que usted ya habrá averiguado, no soy tan tonta como dicen, y por lo tanto entiendo que debo ocupar uno de los primeros lugares en su lista de sospechosos.

—¡Por Dios! ¿Cómo se le ocurre?

—Por pura lógica.

—¡Pero usted es su esposa!

—Más a mi favor.

—Perdóneme pero no consigo entenderla.

—Sí que me entiende —replicó la fascinante criatura con una arrebatadora sonrisa—. ¿Quién resulta casi siempre beneficiada en el caso de que un hombre muy rico muera de improviso? Se supone que su esposa. Y si en este caso particular la esposa es una advenediza que según parece nunca ha reparado en nada a la hora de intentar escapar de la miseria, la cosa no admite vuelta de hoja.

—¡Visto así!

—Es como yo lo veo, como lo ve la mayoría de la gente y como quiero creer que también lo ve usted, pese a que imagino que mantiene ciertas reservas al respecto.

—Me han dado sobradas razones para ello.

—Lo sé, y si está aquí sentado es porque me gustaría que descartase mi candidatura de una vez por todas, no porque me importe demasiado formar parte de esa lista, sino porque cuanto antes la reduzca, antes conseguirá centrarse en el auténtico problema y será mejor para todos.

—¿Y qué es lo que me propone?

—Que conozca la verdad simple y llana.

—¿Qué verdad?

—La que demuestra que yo sería la principal perjudicada en el caso de que Romain muriera.

Se inclinó para apoderarse de una carpeta de piel que se encontraba en la parte baja de la pequeña mesa. Al hacerlo, el nacimiento de sus pechos se mostró con mucha mayor nitidez, y el brasileño tuvo que reconocer, asombrado, que por primera vez en su vida estaba experimentando una auténtica erección sin necesidad de tocar a una mujer.

Enrojeció azorado, se agitó en su asiento temiendo que su acompañante pudiera advertir lo que le estaba sucediendo, y mentalmente buscó su tablero de ajedrez personal en un intento de desviar su atención determinando en qué absurda casilla debería colocar tan inesperado y desconcertante sentimiento.

Al moverse, Naima Fonseca había propiciado que un suave aroma, único e indefinible puesto que estaba formado por la perfecta unión de un costoso perfume y su propia e inconfundible fragancia, invadiera la estancia, y Gaetano Derderian, que jamás se había drogado, abrigó la certeza de que estaba experimentando algo muy parecido a lo que debería experimentar quien se inyectara una dosis de heroína en las venas.

—¡Dios bendito! —susurró al advertir cómo un sudor frío le descendía por la entrepierna.

—¿Cómo ha dicho?

—No he dicho nada. Nada en absoluto.

—No entiendo por qué razón a veces los hombres comienzan a farfullar cosas ininteligibles —comentó ella—. Incluso a Romain le ocurre a menudo pese a que hace años que nos conocemos. ¡Tome! —rogó a continuación alargándole un fajo de documentos—. ¡Lea esto!

—Prefiero no perder tiempo y que me diga de qué se trata.

—¡Como guste! Se trata de un contrato privado, pero firmado ante un notario y dos testigos según el cual Romain y yo establecimos en su día separación de bienes, y se especifica que si nuestro matrimonio durase menos de diez años, yo no tendría derecho a reclamar ni tan siquiera la parte de la herencia que pudiera corresponderme en caso de fallecimiento. Debería contentarme con una cantidad que dependería del tiempo que hubiera durado nuestra unión.

—¡No puedo creerlo!

La venezolana sonrió apenas, abrió una caja de plata, extrajo un largo y delgado habano que ofreció con un gesto, y ante la negativa permitió que su acompañante se lo encendiera.

Exhaló una suave columna de humo y al recostarse contra el respaldo del sofá se mostró tan sensualmente arrebatadora que el brasileño se vio obligado a hacer un esfuerzo sobrehumano para no abalanzarse violentamente sobre ella.

—Debe creerlo —musitó a continuación Naima Fonseca con absoluta naturalidad—. Ahí lo tiene, con todas las firmas y sellos oficiales. Y lo que sí puedo garantizarle, es que nadie me presionó para que lo firmara. Lo hice plenamente consciente, y nunca me he arrepentido, puesto que tengo la firme intención de cumplirlo en todos sus términos.

—¿Qué términos?

—Comportarme como una esposa fiel, cariñosa, amable y colaboradora en todo cuanto se me pueda exigir. A cambio Romain cumple de igual modo, y se muestra como un esposo fiel, cariñoso, amable, generoso y verdaderamente apasionado.

—Una unión perfecta. ¿Qué más se puede pedir?

Por los maravillosos ojos cruzó ahora un haz de luz diferente que mostró a las claras que su dueña era una mujer de incontables facetas.

—No se muestre irónico conmigo… —fue la advertencia—. Aborrezco la ironía puesto que en los ambientes que frecuento, gente muy estirada y muy hueca esgrime lo que consideran una «fina ironía» como si se tratara de un estilete con el que pueden sacarte un ojo sin miedo a las represalias. A mi modo de ver, cuanta más alta considera que es su cuna más irónico es el cretino.

—Lo lamento. No era mi intención molestarla.

—Y no lo ha hecho. Nací en uno de los arrabales más míseros de Caracas, caminaba una hora diaria para ir a limpiar parabrisas en la avenida Urdaneta, y al volver de noche a casa tenía que llevar una navaja a la vista para que al subir al cerro no intentaran violarme o quitarme las cuatro lonchas que había conseguido. Aprendí a leer a los doce años, y como comprenderá en ese tiempo la piel del alma se ha curtido mil veces. Nada me ofende o me molesta, pero desprecio a los irónicos puesto que suelen ser siempre elitistas.

—Lo tendré en cuenta.

—Más le vale si pretende que seamos amigos. —Hizo un gesto hacia la cartera de piel al añadir—: ¿Cree que esos documentos bastan para eliminarme de su lista de posibles sospechosos?

—Sin lugar a dudas.

—¿Y cree que puedo ayudarle en algo?

—Es usted quien debe decidirlo. ¿Tiene alguna idea sobre quién está detrás de todo esto?

—Ni la más mínima, pero lo que sí me atrevo a decirle es que casi a diario nos relacionamos con importantes empresarios que suelen hacer grandes negocios con mi marido. La mayoría fingen ser buenos amigos entre sí, pero me consta que se odian hasta el punto de clavarse un cuchillo por la espalda a la menor ocasión. Lo tienen todo, jamás podrían gastarse sus incalculables fortunas, pero aborrecen la idea de que otro tenga un yate mayor, una casa más lujosa o una mujer más espectacular.

El pernambucano hizo un mudo gesto a cuanto le rodeaba, incluida ella, para señalar a continuación:

—Supongo que en ese caso su marido debe ser el más aborrecido.

—Probablemente, y se sorprendería si le confesase las cifras que me han ofrecido si me decidiera a abandonarle.

—Conociéndola dudo que me sorprendieran.

—Le agradezco el cumplido, pero lo triste del caso es que la mayor parte de esas ofertas no provienen del hecho de que me valoren como mujer, sino que me valoran como propiedad privada de Romain Lacroix, y eso es lo que en verdad les excita. Yo no sé mucho de historia, en realidad no sé mucho de casi nada, pese a que en estos últimos años estudio ocho horas diarias con los mejores profesores, pero a menudo tengo la impresión de que esos magnates creen haber ocupado el lugar de los reyes de antaño, lo que les empuja a embarcarse en absurdas guerras por la supremacía ansiando ampliar sus fronteras a costa de las del vecino. Es como si la historia estuviera dando un brusco salto atrás, con la diferencia de que ahora no se trata de países, sino de multinacionales de estructura amorfa.

—¿Seguro que no aprendió a leer hasta los doce años?

—Seguro. Pero también es seguro que me vi obligada a aprender a pensar a los diez, puesto que de lo contrario no hubiera conseguido sobrevivir. Y le garantizo que pocos son los que saben leer en más de siete idiomas, pero menos los que son capaces de pensar en uno solo.

Gaetano Derderian se concedió un tiempo para reflexionar observando con profundo interés a tan prodigiosa criatura, pero consciente de que ahora no estaba admirando su indiscutible belleza, sino lo que parecía ocultarse tras aquel rostro inimitable.

Al fin inquirió con una cierta timidez:

—¿Le importaría que le hiciera una pregunta delicada?

—¿Le importaría a usted si no la respondo? ¿Cuál es?

—¿Por qué le gusta tanto «navegar con bandera de pendeja»?

Su risa llenaba el mundo de gozo.

—¡Ah, vaina! —exclamó—. Veo que conoce Venezuela.

—Somos vecinos.

—Y quizá por eso nos entendemos. ¡Bien! —añadió—. Navego con bandera de pendeja porque se presupone que esa debe ser la bandera de una mujer de mis características. Hace tiempo descubrí que nada desconcierta y asusta más a la gente que enfrentarse a alguien que no se ajusta a un modelo preestablecido. A un hombre muy rico le atraen un buen culo y unas buenas tetas, porque para hablar de «cosas serias» ya cuenta con un ejército de asesores, e instintivamente rechaza a una mujer hermosa que sea a la vez demasiado inteligente puesto que en ese caso se ha quedado sin medios de demostrar su superioridad.

—Creo que no acabo de entender a qué se refiere —le hizo notar su interlocutor.

—¡No juegue a ser usted el pendejo! —le reprochó la venezolana—. Sabe perfectamente de lo que estoy hablando. Aunque le cueste admitirlo usted abriga el temor de que si nos fuéramos a la cama quizá no estaría a la altura de lo que se supone que una ex miss Universo de mis características y pasado exigiría. Sin embargo, se sentiría aliviado con la idea de que tales carencias se verían compensadas por su mayor nivel cultural e intelectual, lo cual me obligaría a admirarle por algo más que su físico.

—Ahora veo por dónde va.

—Siempre lo ha visto. En la guerra de los sexos las fuerzas deben estar compensadas, y si no lo están es conveniente que se inclinen del lado del hombre, porque a la mujer le basta con abrirse de piernas y esperar. Pero si todas las fuerzas están del lado de la mujer, su pareja acabará fallando en el momento más inoportuno.

—¿Y no le molesta que no se reconozca su auténtica valía?

—Mucho más me molesta un fracaso en la cama a destiempo —fue la humorística respuesta—. Y no se preocupe —añadió—. Cuando un hombre me importa, procuro que poco a poco, y cuando ya se le ha pasado el susto del primer momento, se vaya dando cuenta de que entre los brazos tiene algo más que un simple pedazo de carne bien proporcionado —sonrió casi con picardía al concluir—: la verdadera esencia de la seducción estriba en no ofrecer todos los encantos de una sola vez. Resulta conveniente guardarse en la manga unos cuantos con los que jugar más adelante.

—¿Usted guarda muchos?

—No, en lo que se refiere a mi relación con Romain, si eso es lo que le interesa. Lo que pueda haber entre nosotros a nadie le incumbe, ni tan siquiera a usted, por más que esté intentando preservar su vida. Lo que en verdad pretendo es que me crea y emplee todo su talento en buscar al enemigo en otra parte, pero admitiré, sin ofenderme, que no descarte mi opción definitivamente.

Su interlocutor se tomó unos segundos antes de responder puesto que estaba aprendiendo a marchas forzadas que aquella era una mujer con la que resultaba muy difícil dialogar sin arriesgarse a cometer un error del que inmediatamente había que arrepentirse.

—A mi modo de ver, si no media interés económico alguno como se deduce en estos documentos, no existe ninguna razón para que continúe sospechando de usted.

—Podrían existir muchas otras razones.

—¿Como cuáles?

—La sed de justicia, por ejemplo. Si proviniendo como provengo de un lugar en el que miles de niños pasan hambre pese a haber nacido en un país tan rico, no sintiera con frecuencia un nudo en el estómago al advertir cómo unos pocos se han adueñado de lo que debería pertenecer a todos, estaría traicionando mis orígenes, y me consideraría indigna de ser venezolana.

—¿Y qué podría hacer?

—Enfrentarme a ello.

—¿Cómo?

—Aún no lo sé, pero algún día espero averiguarlo. Hace tiempo pensé en rogarle a Romain que vendiera la empresa de cacao, pero pronto comprendí que esa no era la solución. Quien la comprara continuaría con la política actual, que es la que la hace realmente rentable. Tampoco es solución pagar más por la materia prima, puesto que los productores se limitarían a embolsarse el dinero sin dejar por ello de explotar niños. Nuestros productos se encarecerían mientras los de la competencia se mantendrían igual. La solución estaría en que todas las chocolateras se pusieran de acuerdo para no comprar cacao hasta que se acabase con ese horrendo tráfico, pero le aseguro que aún no tengo la menor idea de cómo conseguirlo.

—Supongo que un camino sería iniciar una campaña de concienciación pública. Si todos los enamorados comprendieran que cada vez que regalan una caja de bombones están contribuyendo a que una criatura inocente sea robada y esclavizada en el corazón de África, las cosas podrían cambiar de un modo radical.

—¿Se imagina una campaña semejante encabezada por la esposa del propietario de la mayor fábrica de chocolates que existe en la actualidad?

—Ciertamente resultaría difícil de aceptar.

—¡Y tan difícil! En cierta ocasión leí un libro en el que se aseguraba que el tráfico de esclavos hacia Sudamérica comenzó en el momento en que la sociedad europea descubrió los placeres del azúcar, el café, el tabaco y el cacao. Los productores de Brasil y el Caribe necesitaban mano de obra barata y la encontraron en África. Cuesta aceptar que casi quinientos años después las cosas continúen igual…

Al abandonar la acogedora estancia Gaetano Derderian caminaba como borracho y a punto de echarse a llorar por el simple hecho de tener que alejarse de la criatura que más le había impresionado en todo lo largo de su vida.

Ya en el exterior se enfrentó a la amazacotada figura de Romain Lacroix que le aguardaba sentado en el estribo del helicóptero, y que comentó con una leve sonrisa.

—Veo que ha conocido a Naima. —Le miró directamente a los ojos al inquirir—. ¿Entiende ahora por qué me aterroriza la idea de que puedan matarme?

—Mejor que antes.

—Aunque los propios ángeles me juraran que me llevarían directamente al paraíso, seguiría teniendo la sensación de que descendía a los infiernos. Créame si le digo que lo que menos me importa es morir; lo que en realidad me importa es que me separen de ella.

El brasileño le observó muy serio y sin poder contenerse por primera vez en mucho tiempo inquirió:

—¿Me permite que le diga algo aunque tal vez le moleste?

—¡Naturalmente!

—Con todos los respetos que me merece creo que es usted un perfecto imbécil.

—¿Y eso a qué viene? —se escandalizó el francés.

—A que alguien que le obliga a firmar un contrato prematrimonial a una mujer como la suya, tiene que ser un cretino.

El otro apenas tardó un par de segundos en responder seguro de lo que decía:

—Lamento tener que admitir que tiene toda la razón.

—Me alegra oírlo.

—Mañana mismo cambiaré de despacho de abogados, aunque en realidad no puedo culparles, puesto que cuando me aconsejaron que firmara no la conocían.

—Pero usted sí.

—Eso también es cierto. Yo ya la conocía y no debí dejarme convencer por quienes ni siquiera son capaces de imaginar que pueda existir una mujer semejante.

—Si quiere que le diga la verdad, yo nunca lo hubiera podido imaginar —reconoció su interlocutor, y tras dedicarle una extraña sonrisa, añadió—: Y si quiere que le sea sincero admitiré que me va a costar mucho trabajo esforzarme en impedir que le maten.

Pocos instantes después el helicóptero se elevó sobre la suntuosa mansión y sus espléndidos jardines, y mientras se alejaba rumbo a París, el abatido pernambucano llegó a la conclusión de que su vida ya nunca sería la misma.

El tiempo que había pasado en aquel pequeño salón en compañía de una mujer a la que ni tan siquiera había tocado, parecía cobrar más importancia y más valor que toda su existencia anterior, puesto que aunque se negara a admitirlo de un modo consciente estaba convencido de que se había enamorado como un adolescente de un sueño inalcanzable.

Con más de medio siglo a las espaldas y docenas de amantes de todas las clases, razas y colores en su haber, se consideraba un hombre lo suficientemente maduro y experimentado como para no dejarse deslumbrar por unos hermosos ojos, unas largas piernas o unos rotundos pechos, pero he aquí que de pronto descubría que lo único que había hecho hasta aquel día era vagar como un ciego que golpeaba las aceras con su bastón sin tener la más remota idea de lo que eran la verdadera luz y los colores.

Y es que Naima Fonseca era algo más que belleza, sensualidad o inteligencia, y cuando el brasileño cerraba los ojos no le venía a la mente el nacimiento de sus pechos, la perfección de su rostro o el exquisito dibujo de sus labios, sino la extraña impresión de que algo dulce y cálido le envolvía produciendo una indescriptible sensación de placidez y bienestar, como si de pronto hubiese dado un prodigioso salto atrás regresando a la seguridad del vientre de su madre.

Buscó en su mente aquel tablero de ajedrez particular que tantas veces le servía de tabla de salvación, pero fue para descubrir, estupefacto, que todas las piezas que había colocado tan cuidadosamente en su sitio habían cambiado bruscamente de lugar.

El amor ha sido siempre el más inoportuno, irritante e irrespetuoso de cuantos visitantes pueda recibir un ser humano.

Nunca aparece cuando se le llama, y nunca llama cuando se le antoja aparecer.

Se le representa como un gracioso querubín esgrimiendo una flecha, cuando en realidad se le debería representar como un repelente monstruo esgrimiendo un hacha.

No acostumbra a atravesar delicadamente los corazones; prefiere destrozarlos de un violento mazazo.

A solas en su despacho acolchado, allí donde acostumbraba a sentarse a pensar con notoria lucidez encontrando a menudo caminos despejados en los más intrincados laberintos, Gaetano Derderian advertía, perplejo, que «la casa se le había llenado de humo», puesto que mirara hacia donde quiera que mirase no descubría más que el recuerdo de Naima Fonseca.

Era como un felino acostumbrado a cazar en la oscuridad al que hubiesen deslumbrado con el haz de luz de un foco antiaéreo.

Aunque cerrara los ojos, el círculo blanco continuaba dibujado en sus párpados.

—¡La leche! —mascullaba una y otra vez indignado consigo mismo—. Me tengo que sacar a esa mujer de la cabeza.

Pero más fácil resultaba sin duda sacarse una bala del hígado.

Sin saber por qué extraña razón las noches se alargaron y los días se le antojaron interminables.

La lógica que había regido todos y cada uno de sus actos a lo largo de los últimos treinta años decidió tomarse unas largas vacaciones.

Al placer de estar pensando en Naima Fonseca seguía de inmediato el dolor de estar pensando en ella.

Noel Fox, que le conocía desde hacía más de una década, fue el primero en advertir que algo extraño ocurría.

—No pareces el mismo —dijo—. Y me resisto a aceptar que se deba a que este asunto se presenta especialmente complicado. Siempre has sabido cómo hacerle frente a los problemas.

La respuesta tardó en llegar, pero cuando lo hizo sonó descarnadamente sincera.

—Dejando a un lado las motivaciones de tipo personal, que confío en que pronto se me pasen, y si no es así te las contaré por ver si eres capaz de echarme una mano, te diré que lo que en verdad me preocupa no es el hecho de que seamos capaces o no de determinar quién coño está intentando perjudicar a nuestro cliente, sino qué es lo que en realidad se oculta tras todo este decorado.

—Que me aspen si tengo la más puñetera idea de a qué te refieres —replicó el inglés atusándose la nariz con un gesto nervioso—. ¿De qué decorado hablas?

—Del que están levantando los nuevos protagonistas de la gran comedia humana.

—¡Que los dioses del Olimpo me asistan! —no pudo por menos que exclamar en tono altisonante su fastidiado interlocutor—. ¿Por qué no te dejas de tonterías y hablas como una persona normal y no como un personaje de *Otelo*. ¡Aclárate!

—¿Acaso no te das cuenta de dónde nos hemos metido?

—En un lío muy gordo, eso lo tengo claro, pero siempre nos han pagado por meternos en esa clase de líos. Los asuntos sencillos se los suelen encomendar a los torpes.

—Pero es que este no es un lío cualquiera —sentenció el brasileño con sorprendente seriedad—. Este es, si no me equivoco, el «gran lío» del futuro.

—¡Ya empezamos! ¿A qué te refieres?

—A que nos hemos adentrado, sin sospecharlo, en el nuevo organigrama del siglo que acaba de empezar, y que apenas tiene nada que ver con cuanto existía anteriormente —sentenció muy serio Gaetano Derderian.

—¿El nuevo «organigrama» del siglo? —repitió su estupefacto interlocutor—. Reconozco que la expresión manda huevos, pero admito que he quedado como estaba.

—Si meditas a fondo sobre ello llegarás, como yo he llegado, a la conclusión de que la «era de los dinosaurios», la «edad de piedra», la «edad de bronce», la «edad media» e incluso la «edad moderna» han quedado atrás.

—¡Si tú lo dices…!

—Lo digo. Y de igual modo aseguro que ha pasado el tiempo de los imperios, las naciones, los conquistadores e incluso de las ideologías políticas.

—Y en ese caso, según tú, ¿qué es lo que queda?

—La «edad de los magnates».

—¿La «edad de los magnates»? —repitió el otro cada vez más desconcertado—. ¿Pero qué estúpida chorrada es esa?

—No es ninguna estúpida chorrada —le hizo notar su jefe convencido de sus argumentaciones—. Es la constatación de la evidencia de que al fin ha llegado el temido día en que los grandes empresarios, los llamados «magnates de las finanzas» han comenzado a establecer unas normas que van mucho más allá de cualquier frontera conocida.

—Siempre se ha sabido que el dinero es el que impone esas normas. La prueba está en que Silvio Berlusconi se ha hecho con el poder en Italia y ha conseguido que el congreso cambie unas leyes que le hubieran enviado a la cárcel.

—¿Y no te das cuenta de lo que ese precedente significa? —quiso saber el pernambucano—. A partir de ahora ya nada les importará, porque saben que por mucho que corrompan, si llegado el momento consiguen amasar una fortuna lo suficientemente grande, gobernarán incluso sobre los encargados de castigar sus corrupciones.

—Eso ha ocurrido desde que el mundo es mundo —sentenció sin inmutarse Noel Fox.

—Pero no en la medida en que está ocurriendo ahora.

—Será cosa del progreso.

—¡Tal vez! Pero antiguamente un gobernante tenía que responder ante su pueblo que podía derrocarle e incluso enviarle a la guillotina. Sin embargo ahora esos magnates son como arañas de incontables patas que apoyan en muy distintos países. Si uno de esos países se calienta en exceso, levantan la pata y buscan otro lugar más apacible, permitiendo que un ejército de abogados se encargue de enmarañar y diluir sus responsabilidades penales por medio de infinitas argucias legales.

—¿Y qué tiene eso de malo?

—Que viven de sobornar a funcionarios con el fin de obtener subvenciones para una empresa que saben muy bien que liquidarán al poco tiempo sin indemnizar a los empleados; que montan fábricas prometiendo puestos de trabajo y luego trasladan a otro lado de la frontera; que se «fusionan» con unos astilleros solventes que les hacen la competencia y al año los descapitalizan arruinando a toda una región; que invierten en los medios de comunicación para presionar a los gobiernos locales a los que incluso cambian a su antojo. —Gaetano Derderian dejó escapar un corto reniego, carraspeó, escupió sobre la planta que adornaba el centro de la mesa y añadió—: Legalmente casi nunca se les puede atrapar, pero consiguen que se esclavicen niños en África, mujeres en la India o mineros en Bolivia, y eso es más de lo que consiguieron Tiberio, Atila, Napoleón, Hitler o Stalin. Te lo aseguro —concluyó roncamente—. Estamos en el umbral de la «edad de los magnates» y esa es una maligna especie que puede nacer en cualquier rincón del planeta, pertenecer a cualquier raza y surgir de cualquier entorno social. Su único vínculo común es la carencia de escrúpulos y una ambición sin límites.

—¿Tanto odias a Lacroix? —quiso saber el inglés.

—¿A qué demonios viene eso? —se enfurruñó su interlocutor.

—A que sospecho que te estás refiriendo concretamente a él.

—No me estoy refiriendo concretamente a él. Me

estoy refiriendo al conjunto de los presidentes de las grandes multinacionales.

—Supongo que algunos actuarán de buena fe buscando únicamente crear riqueza y puestos de trabajo.

—Desde luego que los hay, de la misma manera que existen políticos decentes que jamás se han dejado corromper. Pero ten por seguro que siempre estarán en minoría porque el de las grandes finanzas es un mundo sin reglas en el que el fuerte devora al débil y el canalla absorbe al decente.

—Hace años que te conozco, pero lo cierto es que nunca te había visto tan excitado… —sentenció seguro de lo que decía Noel Fox—, siempre he admirado tu increíble sangre fría y tu reconocida capacidad de enfrentarte a cualquier situación manteniendo la más estricta neutralidad, por lo que no entiendo a qué viene ahora semejante derroche de energías con respecto a un tema que en el fondo ni te va ni te viene.

—Me va y me viene en cuanto a ciudadano que empieza a intuir que su mundo cambia de un modo radical.

—Era un mundo notablemente imperfecto y lo sabes.

—Lo estábamos mejorando —fue la respuesta—. Poco a poco se habían ido consiguiendo grandes victorias en el campo social, pero ahora resulta que hemos dado un brusco salto atrás.

—No entiendo a qué tipo de salto atrás te refieres.

—A lo que habrías contestado a alguien que en los años ochenta te hubiera asegurado que la esclavitud iba a volver a nuestro mundo.

—Le hubiera contestado que estaba loco.

—Pues ahora sabes que no lo estaba, y que gracias a ello, hombres como Lacroix pueden colgar un Van

Gogh en su casa… —Gaetano Derderian esbozó una amarga sonrisa al añadir—: Sorprende descubrir que alguien que no consiguió vender un solo cuadro en toda su vida, se haya convertido en el máximo exponente de la riqueza llevada a sus últimos extremos.

—La vida suele dar muchas vueltas.

—Pero es que esas no son las auténticas vueltas de la vida, porque ese cuadro sigue siendo el mismo que aquel pobre loco pintó. Lo que ahora cuenta es el valor que algunos han querido darle independientemente del arte que encierre. Y lo peor es que nos dejamos manipular hasta el punto de aceptar que poseer un simple pedazo de tela enmarcada importa mucho más que la vida de miles de niños africanos.

Noel Fox se puso en pie, recorrió varias veces la amplia estancia como si necesitara moverse para encontrar el hilo de sus pensamientos, observó con atención a su amigo, y tras apoyarse en el respaldo de uno de los sillones comentó cambiando el tono de voz:

—Me preocupas. Si nuestra empresa funciona, y resulta evidente que somos los mejores en este oficio, se debe en gran parte a que siempre has sabido flotar sobre aguas turbulentas. Pero ahora tengo la impresión de que te estás sumergiendo en ellas a conciencia. ¿Qué o quién te ha hecho cambiar?

A Gaetano Derderian le hubiera aliviado confesar que era una mujer extraordinaria quien sin proponérselo había contribuido a su actual toma de conciencia, pero reconoció que admitirlo significaba trivializar el hecho de que durante los últimos días había estado reflexionando largamente sobre el papel que le había tocado representar en aquella extraña comedia.

Su indiscutible éxito profesional, atribuible tan sólo a la evidencia de su incuestionable inteligencia, le había permitido edificarse una particular torre de marfil en la que podía permitirse el lujo de vivir alejado de los problemas cotidianos, y sin llegar al egocentrismo, abrigaba, y con razón, un alto concepto de sí mismo y de su capacidad intelectual, pero desde el día en que comenzó a adentrarse en el complejo entramado de la Corporación Acuario & Orión había comenzado a sentirse pequeño, estúpido e ignorante.

La maraña de sociedades, empresas participadas, filiales, entes supuestamente autónomos o simples «tapaderas» que no servían más que para escamotear a las haciendas públicas ingentes cantidades de un dinero que en justicia debería haber ido a ingresar las depauperadas arcas de míseras naciones, le obligaba a aceptar que existían mentes mucho más agudas que la suya, puesto que ni en cien años de trabajo hubiera sido capaz de diseñar un tan sofisticado y eficaz monumento al engaño y la defraudación.

Y todo ello dentro de la más estricta legalidad.

Porque lo que en verdad asombraba de la empresa que presidía Romain Lacroix era el hecho que había sabido introducir un afilado estilete entre los casi invisibles resquicios de la constitución de cada país, adaptándolos a sus necesidades hasta el punto de que se le podría considerar un «ciudadano del mundo» con innumerables derechos y muy escasas obligaciones.

Los mejores bufetes de abogados que pudieran existir en cada lugar trabajaban muy duro con el fin de dibujarle en cada caso el marco de trabajo idóneo para no tener que pagar a la hacienda local, y de ese modo conseguía burlar con desconcertante frecuencia, no la ley en sí, sino el espíritu de la ley en un conjunto de actuaciones que acababan por convertirse, si no en un fraude, sí en competencia desleal frente a aquellas otras empresas que no tenían la posibilidad de recurrir a tan sofisticadas artimañas.

Un gran número de naciones civilizadas habían creado tiempo atrás duras leyes antimonopolio con el fin de proteger de abusos a los consumidores, pero ninguna había creado aún lo que pudiera considerarse «leyes antidiversificación» con el fin de protegerse a sí mismas de las escurridizas maniobras de hombres como Lacroix.

«La anguila de mil mares», le llamaban sus enemigos.

Nacido en Lyon pero con residencia oficial en el Principado de Mónaco pese a que pasara gran parte del año en Francia y estuviera en posesión de un pasaporte diplomático argentino, figuraba en la lista de los cien hombres más ricos del mundo, pero a todos los efectos podía considerársele insolvente puesto que todo cuanto poseía estaba a nombre de un sinfín de opacas sociedades asentadas en paraísos fiscales.

Las inmensas fortunas controladas por los hombres que componían dicha lista hubieran bastado a la hora de establecer las infraestructuras imprescindibles destinadas a desarraigar para siempre la miseria del planeta, pero ese dinero, obtenido de una tierra que supuestamente pertenecía a todos y fruto del trabajo de muchos, pocos lo disfrutaban.

La razón por la que los gobernantes de medio mundo habían permitido que esa sinrazón llegara a concretarse había que buscarla en la evidencia de que muchos de tales gobernantes se beneficiaban de un sistema que ya comenzaba a llamarse «gravitatorio», puesto que tendía a conseguir que cada vez más riquezas se fueran concentrando en menos manos.

La excepcional oportunidad que Romain Lacroix

le había proporcionado de estudiar de cerca los retorcidos entresijos de tan maquiavélico mecanismo estaba provocando un profundo desasosiego en Gaetano Derderian, puesto que ir abriendo una tras otra aquellas pesadas puertas le conducía paso a paso a la convicción de que existían mentes infinitamente más dotadas que la suya.

—Si existiera un premio Nobel al engaño... —mascullaba a menudo— ese jodido francés se lo llevaría de calle.

Pese a ello no podía por menos que plantearse que no era quién para juzgar el comportamiento de un cliente que le había otorgado su confianza.

Al igual que el abogado tiene la obligación de defender al reo aun a sabiendas de que es culpable, el brasileño aceptaba que debía esforzarse al máximo a la hora de proteger a Lacroix, pese a que en conciencia reprobara su forma de actuar.

Unas estrictas reglas de confidencialidad conformaban la columna vertebral de su trabajo, y desde los inicios de su carrera tenía asumido que si por cualquier razón algún día no se sentía capaz de respetar ese principio, su única salida estribaba en buscarse otra forma de ganarse la vida.

Por mucho que le repugnara la situación nunca podría negarse a acatar las normas que él mismo había impuesto, ya que nadie le ponía una pistola en el pecho a la hora de aceptar un encargo, y por lo tanto, cuando firmaba un contrato intentaba cumplirlo costara lo que costase.

Sin embargo, se veía obligado a reconocer que nunca antes se había sentido tan tentado de echarlo todo por la borda y marcharse de vacaciones a Bora-Bora, puesto que la montaña de pesados y minuciosos informes sobre operaciones cada vez más densas y cada vez más opacas comenzaba a alcanzar dimensiones agobiantes.

Para colmo de males, una mañana se presentó en su despacho su segundo en el mando, Gerry Kelly, llevando casi de la mano a un individuo encorvado, de enormes gafas, cabellos muy ralos y aire tímido que aparentaba ser casi un anciano, pese a que probablemente apenas superaba la cincuentena.

—Te presento al señor Forlani… —fue lo primero que dijo el americano indicando a su acompañante que tomara asiento en una de las butacas que se encontraban frente a la mesa del brasileño—. Dino Forlani, que ha sido designado para suceder al difunto Claude Tabernier al frente del «Departamento de nuevas iniciativas».

—¡Mi enhorabuena!

—¿Enhorabuena por qué? —quiso saber agriamente y con apenas un hilo de voz el recién llegado.

—Porque quiero suponer que constituye un ascenso en la empresa. ¿Cuál era su puesto?

—Director de la sección de «Viajes de promoción».

—¿Y tan a gusto se sentía que no le apetece que le hayan elegido para un puesto de mayor responsabilidad?

—¿Acaso le apetecería a usted que le eligieran como diana en una caseta de tiro al blanco? —fue la pregunta con que se pretendía responder a otra pregunta—. Mis dos predecesores se han «suicidado» cuando me consta que ninguno de ellos tenía el más mínimo interés en abandonar tan precipitadamente la empresa, y lo cierto es que no me apetece nada flotar en el Sena. Tengo reuma.

—Y sentido del humor por lo que veo. ¿Tan peligroso se le antoja ese puesto?

—A las pruebas me remito.

—¿Y a qué lo atribuye?

—¡Cualquiera sabe!

—Pero usted lleva años en ese departamento —le hizo notar el pernambucano—. ¿Nunca oyó comentarios ni pasó por sus manos ningún documento que le llamara especialmente la atención?

—¡Escúcheme bien, señor! —puntualizó Dino Forlani como si estuviera intentando armarse de paciencia—. No quiero que crea que no deseo colaborar con ustedes, ya que me han ordenado que lo haga. Lo que pretendo es que entienda que a lo largo de estos seis últimos años nuestro departamento ha estado metido en mil asuntos diferentes, y que a menudo tan sólo un par de personas los conocían a fondo.

—¿Asuntos sucios?

—Depende de cómo se mire...

—¡Dejémonos de rodeos! —intervino con manifiesta impaciencia Gerry Kelly—. Cuéntele al señor Derderian en qué consisten los «viajes de promoción» que usted organiza.

El otro se quitó las gafas, las limpió con estudiada parsimonia, y al fin señaló:

—Básicamente consisten en proporcionarle a ciertas personas los medios económicos necesarios para que acudan a las manifestaciones «antiglobalización» que se convocan en diferentes partes del mundo.

—¿Manifestaciones «antiglobalización»? —no pudo por menos que repetir un estupefacto Gaetano Derderian—. ¿Acaso su empresa se opone a la globalización neoliberal?

—En absoluto.

—¿Entonces...?

—Enviamos a personas que sabemos que evitarán que se desarrollen de forma pacífica.

—¿Provocadores?

—Si así quiere llamarlo...

—¿Me está diciendo que su misión es pagarle a violentos profesionales para que conviertan una manifestación pacífica en una batalla campal?

—Más o menos.

—¿Y qué ocurre cuando, como en Génova, la cosa acaba con muertos de por medio?

—Eso fue un accidente. Y le recuerdo que fue un policía el que mató a Carlo Giolianni, que además no era de los nuestros. No era más que un simple «espontáneo» local.

—¡Dios bendito! ¡No puedo creerlo!

—Pues así es, se lo aseguro. Una de las especialidades de nuestro departamento se centra en procurar reventar huelgas y manifestaciones sea cual sea el país en que tengan lugar.

—Es lo más canallesco que he oído en mi vida, y nunca imaginé que Romain Lacroix se prestara a algo así.

—Él no lo sabe.

—¿Cómo dice?

—Que el gran jefe nunca ha estado al corriente de tales actividades —insistió con absoluta seriedad Dino Forlani—. Nadie le dijo nunca nada, y él jamás preguntó. Por lo que tengo entendido, Mathias Barriere tenía carta blanca a la hora de resolver los problemas más espinosos a condición de que el presidente no estuviera al corriente de su *modus operandi*.

—Eso ya lo sabía —admitió el brasileño—. Pero lo que no sabía es que se hubiera llegado a tales extremos en dicho *modus operandi*.

El hombre de los cabellos ralos y las grandes gafas hizo un mudo gesto hacia la jarra de agua que descansaba sobre una mesa cercana, y cuando su interlocutor asintió se encaminó hacia ella, se sirvió un vaso y bebió con ansia. Lo llenó de nuevo, volvió a beber y por último, de pie como estaba, señaló:

—En este tipo de trabajo a menudo las cosas se nos van de las manos. Un estúpido provocador se pone de pronto nervioso y se pasa a la hora de dar patadas, o alguien quiere mostrarse eficaz y va más allá de lo que le habían ordenado. —Se encogió de hombros como si lo que estuviera diciendo fuera lo más natural del mundo—. Ya se sabe que cuando se juega con fuego acaba uno quemándose.

—¿Y Barriere se quemó?

—Supongo.

—¿Y Tabernier también?

—Eso parece.

—¿Y ahora le toca a usted?

—Depende.

—¿De qué?

—De lo que me paguen. Como comprenderá no voy a arriesgar el pellejo gratuitamente cuando lo que está en juego son miles de millones. La «Corporación» es una gigantesca maquinaria que necesita que la engrasen porque de lo contrario acabaría por detenerse. Y si se detiene estalla. Por eso los «engrasadores» a los que nadie quiere ver y de los que nunca se habla, pero que nos jugamos la vida o acabar en la cárcel, tenemos que cobrar de acuerdo al riesgo que corremos. ¿Entiende de lo que le estoy hablando?

—Perfectamente —reconoció Gaetano Derderian—. Sabía que la mayoría de los gobiernos disponen de «fontaneros» especializados en llevar a cabo los trabajos más sucios, pero nunca se me había pasado por la cabeza la idea de que una empresa, por muy multinacional que sea, utilice métodos semejantes.

—Le recuerdo, por si no lo sabía, que nuestra

corporación es mucho más poderosa, compleja y autónoma que muchos países. Y le garantizo que no somos una excepción en el gremio. La mayoría de las grandes transnacionales actúan de igual manera.

—Pues que el Señor nos ayude, puesto que por lo que sé, existen más multinacionales del tipo Acuario & Orión que países representados en las Naciones Unidas.

—Nosotros tenemos contabilizadas dos mil de primera línea, pero las cifras oficiales de la Comunidad Económica Europea determinan que cincuenta y tres mil multinacionales, ayudadas por cuatrocientas mil empresas auxiliares que a medida que se vayan fusionando entre sí irán entrando a formar parte del grupo de cabeza, controlan actualmente los dos tercios del comercio mundial y de los recursos del planeta, ocupando a doscientos millones de trabajadores.

—Impresionante.

—Y más aún cuando se sabe que tres mil millones de trabajadores de pequeñas empresas producen el tercio de la riqueza restante, lo cual les da una idea del extraordinario rendimiento que las multinacionales obtienen de sus empleados.

—¡Pero eso es una barbaridad! —no pudo por menos que exclamar un escandalizado Gerry Kelly.

—No lo crea —replicó el otro sin inmutarse—. No es más que una tendencia lógica y natural. En un principio existían familias que más tarde se agruparon en tribus que acabaron por constituir naciones, algunas de las cuales se convirtieron en imperios. Todo ello dependía de unas determinadas condiciones como podían ser la ubicación geográfica, la raza, la religión, el idioma o la ideología. Pero durante el pasado siglo, con los adelantos de la técnica y en especial la facilidad de las comunicaciones, el mundo se volvió más pequeño, los intereses económicos empezaron a primar sobre cualquier otro tema, y con el tiempo las pequeñas empresas siguieron el mismo camino, creando primero cooperativas, luego corporaciones, y más tarde multinacionales que acabaran por transformarse en no más de un millar de gigantescos imperios financieros que coparan el ochenta por ciento del comercio mundial. La historia se repite, con la diferencia de que ahora la única base sobre la que se asienta el nuevo orden es el dinero.

—¡Menudo futuro nos espera!

—Tal vez no resulte peor que el pasado. El dinero es de por sí prudente, y aunque en ocasiones aliente pequeñas guerras por conseguir el control de determinados recursos, aborrece la idea de involucrarse en las llamadas «guerras catastróficas», puesto que sabe muy bien que eso acaba siendo a la larga un mal negocio. Tenga en cuenta que el volumen de transferencias diarias a través de las fronteras es de algo más de un billón de dólares, y que en su mayor parte está manejado por veinte bancos a los que de ningún modo les interesa que ese flujo disminuya.

Gaetano Derderian se tomó unos minutos para reflexionar, acudió a servirse un vaso de agua que estaba necesitando porque advertía que la garganta se le había convertido en una especie de papel de lija, y al cabo de un rato comentó:

—¡Bien! La conversación ha sido muy instructiva y me ha servido para aclarar ciertos conceptos, pero ahora lo que pretendo es que me ayude en lo que en verdad importa. ¿Tiene alguna idea de quién puede haber matado a sus predecesores y está tan interesado en amargarle la vida a su jefe?

—Ni la más remota.

—¿Y no se le ocurre nada que pueda serme de utilidad?

—¿Como qué?

—Como lo que sea ¿Qué me puede decir sobre las últimas actuaciones de su departamento en Oriente Medio?

Dino Forlani frunció el ceño puesto que la pregunta le sorprendía o le desconcertaba, pero tras unos instantes de reflexión asintió repetidamente con la cabeza.

—Nada en especial —dijo al fin—. Aunque ahora que lo menciona admito que es muy posible que el origen del problema provenga de esa región. Que yo recuerde hace cuatro o cinco años hubo lo que se suele decir «mucha movida» en aquella zona. Mathias Barriere manejaba personalmente el asunto, y si la memoria no me falla, estaba más irritable que de costumbre, lo cual ya es decir mucho. Algo hubo, y bastante sucio supongo, pero no sabría decirle qué pudo ser.

—¿Armas?

—¡En absoluto!

—¿Drogas?

—Tampoco.

—¿Blanqueo de dinero?

—¡Ni por lo más remoto! El gran jefe no es tonto. Puede que en determinadas ocasiones baile con la ilegalidad, pero jamás se acostaría con ella. Ni lo necesita ni lo acepta. El blanqueo de dinero mueve medio billón de dólares anuales, pero Lacroix no se beneficia de ello. Si de algo le sirve mi opinión, le diré que como hombre de negocios es un halcón sin entrañas y un auténtico hijo de puta malnacido, pero como persona es un tipo bastante decente.

—Curiosa dualidad, ¿no le parece?

—Para llegar a ciertas alturas, y resulta evidente

que él ha llegado, es necesario poseer muchas facetas diferentes y tener muy claro desde el primer momento qué es lo que se puede hacer y qué es lo que nunca se debe hacer. Un auténtico magnate, y Romain Lacroix lo es de los pies a la cabeza, no suele admitir más límites a su ambición que lo que él mismo se impone, y cuando está llegando a ese límite siempre encuentra la forma de frenarse. Si no actúa de ese modo pasa de ser un magnate de pura raza a convertirse en un simple especulador, y esos acaban siempre, pronto o tarde, en la cárcel.

Un cómodo y sofisticado reactor de doce plazas que lucía en la cola el anagrama *A&O* despegó a media mañana de París para aterrizar, cuando comenzaba a caer la tarde, en el lujoso y ultramoderno aeropuerto de Dubai.

Aun antes de poner un pie en tierra, y gracias a que el piloto les obsequió con el espectáculo de sobrevolar la ciudad en un par de ocasiones como maniobra previa a la decisión de enfilar la pista, tanto Gaetano Derderian como su acompañante, Indro Carnevalli, no pudieron por menos que expresar su asombro ante el impresionante panorama que se divisaba desde las alturas, puesto que lo último que esperaban encontrar en aquel perdido rincón del desierto a orillas del golfo Pérsico era una elegante e inteligente concepción urbanística difícil de imaginar en cualquier otro rincón del mundo.

Más tarde, con la ciudad iluminada como si cada noche fuera una noche de fiesta, admitieron que les recordaba a la mítica Las Vegas de Nevada, aunque sin la chabacanería que caracterizaba a la desmadrada capital del juego norteamericana.

Extendida a lo largo de una inmensa playa, y las

dos orillas de una ancha ría que se adentraba en el desierto, limpia, reluciente y salpicada de parques y jardines en su mayor parte artificiales, Dubai podría considerarse un monumento al despilfarro, pero un despilfarro consecuente y en cierto modo atractivo.

Gracias a los fabulosos ingresos producidos por el petróleo, un polvoriento villorrio de miserables pescadores se había convertido en menos de treinta años en una ciudad moderna, inteligente y agradable, especialmente durante las noches en las que las altas temperaturas propias de aquella árida región del planeta descendían de forma notable.

Sentados en la terraza del coqueto restaurante italiano del hotel Sheraton, disfrutaron de una espléndida cena a base de pastas y langostas del golfo mientras contemplaban las idas y venidas a lo largo de la ría de un sinfín de engalanados barcos sobre cuyas amplias cubiertas bellísimas mujeres y hombres elegantemente vestidos cenaban o bailaban al compás de una música suave y melancólica.

La profusión de naves deslizándose por las tranquilas aguas y recortándose sobre las fachadas de enormes edificios generosamente iluminados conformaba un espectáculo más propio de una comedia musical que de la vida real.

Durante la encantadora cena, su solícito anfitrión Waffi Waad, socio de Romain Lacroix y cabeza visible de la Corporación Acuario & Orión en Oriente Medio, les fue poniendo al corriente de las costumbres locales, notificándoles, en primer lugar, que si a cualquier hora del día o de la noche se veían acuciados por la necesidad de disfrutar de una afectuosa presencia femenina, no tenían más que marcar un número de teléfono, puesto que la ciudad tenía justa fama por ser el lugar al que acudían, como las moscas a la miel, las muchachas más hermosas de los cinco continentes, que llegaban a diario atraídas tanto por la permisividad de las costumbres, como por las desorbitadas cantidades de dinero que cambiaban de mano a todas horas.

—Rusas, chinas, japonesas, thailandesas, filipinas, brasileñas, argentinas, polacas, etíopes, francesas o norteamericanas, en Dubai se las puede encontrar de todas las razas, colores y nacionalidades, puesto que sabido es que aquí ganan más en una sola noche que en un mes en cualquier otro lugar del mundo —puntualizó Waffi Waad—. Y abundan las estudiantes y las semiprofesionales que «trabajan» una corta temporada para regresar a sus lugares de origen con el futuro resuelto.

—Nunca lo hubiera imaginado en un país de creencias religiosas tan firmemente asentadas —señaló un sorprendido Indro Carnevalli—. Siempre había oído decir que en Arabia tanto la prostitución como el adulterio se castigan con la lapidación.

—Arabia es Arabia —fue la tranquila respuesta—. E incluso en algún emirato persisten tan bárbaras costumbres, pero aquí en Dubai hemos sabido adaptarnos al ritmo de los tiempos, y como puedes observar por esos barcos y por la gente que nos rodea, hemos aprendido a disfrutar en paz y buena armonía de los dones que Alá tuvo a bien otorgarnos.

—Sabia decisión —no pudo por menos que reconocer el brasileño—. Y se lo dice alguien que nació en un país que tiene fama de saber disfrutar de la vida.

—Por desgracia, en esta parte del mundo cabría asegurar que se disfruta más con la muerte —se lamentó el dubaití—. La espiral de violencia entre árabes y judíos amenaza con convertirse en un tornado que nos arrastre a todos, pero no es este momento propicio para hablar de política, ni ese el objetivo del viaje. Romain me ha puesto al corriente de cuanto ocurre, y tengo la impresión de que, por primera vez desde que le conozco, y de eso hace ya muchos años, se encuentra sinceramente preocupado.

—También yo lo estaría en su caso —sentenció convencido de lo que decía Indro Carnevalli—. Llegar adonde ha llegado para acabar viviendo escondido y acosado no tiene maldita la gracia.

Waffi Waad, un hombre grande, de gestos tranquilos, aspecto de estar de vuelta de todo en esta vida, y del que en un principio podría creerse que ya no le interesaban más que los placeres de la buena mesa y la buena cama, aguardó a que un solícito camarero siciliano parlanchín en demasía concluyera de llenarle la copa y elogiar las excelencias de los postres de la casa, para señalar con la naturalidad con que podría haber comentado el resultado de un partido de fútbol:

—He dedicado estos últimos días a analizar todas aquellas operaciones que hemos realizado en la región. Y debo admitir que no he encontrado nada que se salga de lo normal, por lo menos hasta el punto de que pudiera desembocar en tan absurda situación.

—¿Qué es lo que consideras «normal»? —quiso saber Gaetano Derderian.

—Compras, ventas, nuevos proyectos, uniones, absorciones de otras empresas… Todos aquellos negocios en los que yo he intervenido, y no me consta que Romain haya hecho ninguno a mis espaldas, se han desarrollado dentro de la más estricta legalidad y a plena satisfacción de todas las partes. Mucha gente ha ganado mucho dinero, y por más vueltas que le doy no recuerdo que nadie se haya sentido perjudicado.

—No pretenderás hacerme creer que todos ganan siempre.

—¡Escúchame con atención! —señaló Waffi Waad en un tono de voz seco y firme que no admitía réplica—. Yo nací aquí, pero soy hijo de emigrantes sirios y palestinos, lo cual quiere decir que por mis venas corre una mayoría de sangre fenicia. Y los fenicios hemos sido desde el comienzo de la historia un pueblo de astutos comerciantes que entiende que la mejor manera de hacer negocios es procurando que todos queden satisfechos, puesto que de lo contrario se pierden nuevas oportunidades. Romain Lacroix entendió siempre mi modo de actuar y llevamos muchos años trabajando en esa línea, por lo que me niego a admitir que sus actuales problemas tengan su origen en alguna de nuestras pasadas operaciones.

—Si eso es así, ¿por qué incomprensible razón se ha invertido tanto dinero opaco en la región?

—Lo ignoro.

—¿A quién se está sobornando o qué es lo que se trata de ocultar?

—Se soborna a mucha gente, puesto que eso forma parte del juego, sobre todo en esta parte del mundo, pero siempre he sabido a quién y en qué cantidades. —El dubaití aguardó hasta que el siempre imprudente camarero se alejase, y por último señaló—: Lo que sí puedo asegurar, es que no tenía ni la más remota idea de la existencia de ese sorprendente «Departamento de nuevas iniciativas» y mucho menos que se encontrara de algún modo involucrado en nuestras operaciones en la región.

—No obstante, reconocerás que resulta extraño que la mayoría de las muertes sospechosas hayan ocurrido entre personas que se encontraban relacionadas de un modo u otro con operaciones en la zona y con el citado «departamento».

—Lo admito, me desconcierta y reconozco que me preocupa, puesto que me demuestra, sin ningún género de dudas, que existen detalles que han quedado fuera de mi control, y eso me jode.

—¿Qué negocios tiene actualmente en marcha la corporación que pudieran considerarse en cierto modo «conflictivos»?

Tras meditar apenas unos instantes, el interrogado replicó con incontestable firmeza:

—Cinco, que imagino que ya conoces tan bien o mejor que yo. La construcción de una nueva refinería en Abu Dabi, una cadena de hoteles en los Emiratos, una desaladora de Jordania, un oleoducto en Arabia y una enorme presa en la India. Todo absolutamente legal y en perfecta armonía con los gobiernos y los socios locales. Ninguno que, a mi modo de ver, pueda considerarse «conflictivo» hasta el extremo de que se pueda matar a alguien. No son más que simples negocios.

—¡De acuerdo! —admitió el brasileño al tiempo que se ponía en pie dando por concluida la charla—. Todo parece perfectamente legal y no lo pongo en duda, pero te ruego que reflexiones sobre cada uno de esos «negocios» y me digas si existe algo, en alguno, que a tu buen entender no resulte tan absolutamente transparente como siempre has imaginado.

—Te prometo que haré cuanto esté en mi mano.

Waffi Waad demostró ser un hombre cumplidor, activo y eficaz, puesto que a las ocho de la mañana del día siguiente tenía a casi medio centenar de personas empeñadas en la tarea de analizar con lupa cada una de las operaciones que se estaban llevando a cabo, por lo que muy pronto llegó a la conclusión de que dos de ellas podían descartarse de inmediato. El comienzo de las negociaciones para la construcción de una refinería en Abu Dabi y una cadena de hoteles en los Emiratos Árabes eran de fechas tan recientes, que de ninguna forma podían estar relacionadas con acontecimientos cuyos inicios se remontaban a tres años atrás.

Gaetano Derderian se mostró satisfecho con semejante hallazgo, puesto que ir centrando poco a poco el problema a base de eliminar opciones constituía su forma predilecta de trabajar.

De las incontables empresas y ramificaciones distribuidas por casi treinta países que conformaban el vasto imperio económico de Romain Lacroix, se había conseguido, tras poco más de un mes de análisis y esfuerzos, centrarse en una de ellas, Construcciones Akaba, que al parecer participaba de forma muy activa en los tres proyectos restantes.

—El director general es Ito Kitagami, sin lugar a dudas el tipo que más trabaja de toda la organización —se apresuró a aclarar Waffi Waad—. Tiene su base en Riad y no hay forma humana de hacerle salir de allí, puesto que se podría creer que hacerle perder un minuto de su tiempo significa casi tanto como cortarle un dedo.

—Pues iremos a verle a Riad —sentenció el pernambucano.

—No es necesario... —replicó con una pícara sonrisa su interlocutor—. Lo único a lo que ese jodido japonés no ha conseguido resistirse nunca, es a un «fin de semana para altos ejecutivos» en el Burj Al Arab.

—¿Y eso en qué consiste?

—En algo muy especial en un lugar muy especial.

El lugar «muy especial» no era otro que el hotel

más lujoso del mundo, que se había inaugurado recientemente a poco más de veinte kilómetros de la capital.

En el centro de una inmensa playa, dado que toda la costa de Dubai era una playa interminable, una grácil pasarela de unos doscientos metros conducía a una isla artificial en forma de barco en el centro de la cual se levantaba una inmensa vela de cristal y acero, de tal forma que desde donde quiera que se mirase el prodigioso Burj Al Arab semejaba un balandro de más de ochenta metros de altura navegando por las azules y tranquilas aguas del golfo Pérsico.

Quien lo imaginó, lo diseñó y lo llevó a la práctica tenía que ser evidentemente un genio.

No obstante el interior decepcionaba un tanto, puesto que sus decoradores se habían excedido cargando la mano en los adornos, y sobre todo en un colorido muy al gusto sin duda de la mayoría de los jeques regionales que conformaban, al parecer, la base de su clientela.

Y es que no eran muchos los que podían permitirse pagar tres mil dólares diarios por una habitación sencilla, o siete mil por una suite del último piso.

Gaetano Derderian Guimeraes se vio obligado a admitir que el lugar superaba todas sus expectativas, y al contemplar el ramillete de muchachas que habían sido contratadas con el fin de hacerles más agradable la estancia, el estupefacto Indro Carnevalli juró por san Genaro que acababa de atravesar el umbral del paraíso.

Pese a su juventud, Indro Carnevalli estaba llamado a ser algún día el heredero natural del brasileño al frente de su empresa, puesto que si bien tanto Gerry Kelly como Noel Fox ocupaban en la actualidad puestos de mayor responsabilidad, a nadie le pasaba desapercibido que el italiano era el único que poseía algunas de las virtudes —y sobre todo la asombrosa capacidad analítica— del pernambucano.

Le faltaba experiencia, eso era cierto, y carecía de momento del don de mando imprescindible para manejar una organización tan peculiar, pero era un muchacho que aprendía muy aprisa, consciente de que, aunque aún nadie lo hubiese mencionado, tenía plena conciencia de que si se esforzaba lo suficiente algún día heredaría el sillón presidencial.

Contaba, no obstante, con dos grandes enemigos con los que se veía obligado a luchar a brazo partido: su afición al juego y a las mujeres.

El rumor de una bola girando en la ruleta, el tacto de una baraja, o la fragancia del Chanel n.º 5 sobre una piel morena le traían a mal traer.

El siempre atareado Ito Kitagami compartía la mayor parte de sus gustos, por lo que en cuanto supo que un avión privado le estaba esperando en el aeropuerto de Riad, recogió todos sus papeles, cerró todos sus cajones y rogó a su secretaria que se olvidara hasta de su nombre durante los próximos tres días. Teniendo en cuenta que, por tratarse de un país islámico, Dubai celebraba su día de descanso en viernes, «la fiesta» comenzó en el atardecer de un miércoles para prolongarse, de un modo casi ininterrumpido, durante las siguientes cuarenta y ocho horas.

Sol, playa, pesca de altura, caviar, champán, los mejores vinos y las mejores mujeres completaron una abultada factura que Waffi Wadd firmó sin inmutarse, rogando que la enviaran a su dirección personal.

—Lacroix es mi amigo, pero sobre todo es mi socio... —dijo—. Y por un buen socio se debe hacer mucho más que por un buen amigo, puesto que un buen amigo tan sólo te proporciona amistad, mientras que un buen socio además de la amistad te proporciona dinero. Todo lo que invierta en intentar solucionar sus problemas lo doy por bien empleado.

Por su parte Ito Kitagami no mostraba el menor interés por el sol, la playa o la pesca de altura, dedicando todo su tiempo al alcohol y las mujeres, en especial si se trataba de rusas y escandinavas, aunque durante los escasos momentos en que se le lograba encontrar vestido y sobrio daba muestras de una notable lucidez y una sorprendente memoria.

—Recuerdo muy bien a Mathias Barriere —dijo—. Pasamos largas temporadas en Akaba y Amman, y pese a que tenía un carácter difícil y era más bien seco en el trato, en alguna ocasión me hizo partícipe de sus preocupaciones, que solían ser muchas puesto que era uno de esos hombres que siempre parecen estar cargando el mundo sobre sus espaldas.

—¿A qué te refieres?

—A que se tomaba demasiado en serio su papel de «supremo guardián de los grandes secretos», convencido de que si él desapareciese, todo el tinglado se vendría abajo de la noche a la mañana.

—¿De qué clase de secretos estamos hablando?

—Nunca me lo dijo —fue la tranquila respuesta del impasible japonés—. Eran secretos. Barriere amaba a sus secretos más que a su propia esposa, de eso estoy seguro, porque me consta que compartía a su esposa con un piloto de Aeroméxico, pero jamás compartía sus secretos con nadie. A veces daba la impresión de que ese íntimo convencimiento de que sabía cosas que los demás ignoraban, le hacía sentirse fuerte y superior. En cierta ocasión en que bebió algo más de lo que tenía por costumbre, me aseguró que tenía a Lacroix cogido por las bolas.

—¿Sospechas que pudo intentar hacerle algún tipo de chantaje? —quiso saber Gaetano Derderian.

—¡Eso nunca! Bajo ningún concepto —replicó de inmediato el otro—. Adoraba a Lacroix, hubiera dado la vida por él, y en cierto modo creo que, de hecho, la dio.

—¿Entonces…?

—No es infrecuente que nos guste saber que tenemos un cierto poder sobre aquellos a los que amamos, tal vez porque de ese modo suponemos que nunca los perderemos. A veces me daba la impresión de que Mathias Barriere estaba convencido que Romain Lacroix era en cierto modo obra suya.

—¿Pretendes insinuar que se comportaba como una especie de «cerebro en la sombra»?

—Yo no insinúo nada, pero Barriere tenía conciencia de que no era brillante y carecía del don de gentes imprescindible para llegar a convertirse en una auténtica estrella en el firmamento de las grandes finanzas. Entra dentro de lo posible que estuviera convencido de que en justicia era el verdadero artífice del éxito de su gran amigo de la infancia.

—¿Romain y Barriere eran amigos de la infancia? —inquirió un sorprendido Waffi Waad—. ¡Primera noticia!

—Nacieron en el mismo barrio y fueron juntos al parvulario, el colegio y la universidad. La gran diferencia estriba en que uno de ellos resultó ser un magnífico estudiante escuchimizado, calvorota y anodino, lo que se suele decir «un auténtico plasta», mientras que el otro se convirtió en estudiante más bien mediocre, pero atlético, simpático, seductor y carismático.

—En casi todas las universidades suelen darse casos semejantes —admitió el dubaití que había estudiado ingeniería en Boston—. Los mejores amigos suelen ser los que no tienen casi nada en común.

—Quizá se deba a que cada uno busca en el otro lo que necesita para complementarse —intervino Gaetano Derderian—. Pero intentemos no apartarnos del tema y que a mi modo de ver se centra en esos supuestos secretos que Barriere guardaba. ¿Crees que alguien puede tener alguna idea aunque sea remota sobre su naturaleza?

—Se los llevó a la tumba —sentenció seguro de lo que decía el japonés—. Y si alguien podía saber algo, era ese tal Tabernier, al que no conozco pero que por lo visto le ha seguido los pasos.

—¿Nadie más? ¿Absolutamente nadie más?

—No que yo sepa, exceptuando quizá a Abdull Shami, que ejerció de ingeniero jefe en la central de Amman hasta que se ahogó en el mar Muerto.

—¿Cómo que se ahogó en el mar Muerto? —intervino por primera vez un estupefacto Indro Carnevalli sin dar crédito a lo que estaba oyendo—. Nadie se puede ahogar en el mar Muerto.

—Abdull Shami lo consiguió.

—Pero en el mar Muerto el agua es muy salada y muy densa, y por lo tanto se flota.

—No cuando estás atrapado en el interior de un coche que se ha precipitado desde quince metros de altura.

—En ese caso lo entiendo.

—Pues debes ser el único que lo entienda, porque nadie se explicó jamás qué demonios hacía Shami corriendo como un loco a las tres de la mañana por la carretera que bordea el mar Muerto.

Gaetano Derderian alargó la mano, hundió la

cuchara en la fuente de caviar que ocupaba el centro de la mesa, y antes de llevársela a la boca, inquirió:

—¿La memoria me falla o esa fue la primera víctima de todo este embrollo?

—Lo fue.

—¿Y tú qué opinas?

El japonés se tomó un tiempo, le imitó para paladear muy despacio el caviar acompañado de un sorbo de champán y replicar al fin:

—Yo no opino. Me limito a hacer mi trabajo y a vivir en Riad donde me siento muy seguro puesto que nadie entra ni sale de Arabia sin que la policía sepa hasta el número de zapato que gasta. En los últimos años han ocurrido demasiadas cosas, ninguna de ellas buena para la salud, y tan sólo se nos ofrecen dos opciones: o cambiar de empresa o vivir en Riad.

—¿Luego aceptas que se corre un riesgo trabajando para Acuario & Orión?

—¿En esta parte del mundo? ¡Desde luego! Las estadísticas no mienten y el número de accidentes injustificados excede a toda lógica.

—¿Y no tienes ninguna teoría al respecto?

—En mi opinión, si es que te sirve de algo, Mathias Barriere se pasó de listo en algo, y los perjudicados, tal vez los judíos, se lo están haciendo pagar a quien no tiene culpa alguna.

—¿Los judíos? —repitió en tono incrédulo Indro Carnevalli—. ¿Y qué tienen que ver con todo esto los judíos?

—No lo sé.

—¿Entonces? ¿A qué viene esa afirmación?

—A que si no recuerdo mal las cosas empezaron a complicarse a raíz de que se inició el tendido de tuberías en Akaba, justo en la frontera con Israel.

Y en Israel hay mucho fanático y mucho ortodoxo que no ven esa obra con buenos ojos.

—¿Por qué?

—En primer lugar porque los fanáticos consideran que el proyecto beneficia directamente a sus enemigos naturales, los palestinos. Y en segundo porque los ultraortodoxos alegan que estamos yendo contra los designios de Dios al intentar convertir el desierto por el que sus antepasados deambularon durante cuarenta años en un vergel.

—¡Qué estupidez!

—Puede que para ti y para mí lo sea, pero no lo es para alguien que considera que apretar el interruptor de la luz en sábado atenta contra los mandatos de un dios que le ha ordenado descansar ese día. —El japonés hizo un gesto que pretendía abarcar cuanto le rodeaba para acabar indicando con el mentón a las muchachas que retozaban en la playa—. Vivimos en una región y en unos tiempos muy confusos, y por lo que hemos estado haciendo estos días, con tanto alcohol y tanta puta desmadrada, en la vecina Arabia nos hubieran cortado la cabeza en la plaza pública. —Lanzó un sonoro reniego al añadir—: Lo cual no quita para que a la mañana siguiente los propios verdugos hubieran venido a imitarnos. Los integristas islámicos se corren las juergas aquí en Dubai, mientras que los ultraortodoxos judíos prefieren los hoteles de Atenas. Todos claman y todos mienten, y al final uno no sabe qué actitud adoptar frente a tanta hipocresía. Las cosas serían hasta cierto punto divertidas, si no fuera por el hecho de que cuando te matan, te matan en serio. Y si no que se lo pregunten a Mathias Barriere o a Abdull Shami.

—¿Shami estaba casado?

—Sí.

—¿Y dónde se encuentra ahora su mujer?

—Creo que continúa en Amman.

—Tal vez sepa algo que nosotros ignoramos —musitó apenas Gaetano Derderian.

Aquel agitado «fin de semana» había sido en verdad un tiempo poco apropiado para la meditación.

Sol, pesca, comilonas, alcohol y mujeres no constituían los mejores consejeros imaginables, y aunque el brasileño siempre se había negado a mantener ningún tipo de relación personal con prostitutas, se vio obligado a reconocer que las espectaculares «señoritas de compañía» reclutadas para la ocasión por el «jefe de relaciones públicas» de Waffi Waad conseguían que sus eventuales parejas se olvidaran de que se trataba de auténticas profesionales del sexo mejor pagado.

Pero lo que ninguna de ellas consiguió fue borrar la imagen de Naima Fonseca de la mente de Gaetano Derderian, que hubiera cambiado a ojos cerrados el placer de acostarse con todas ellas, por el de volver a tomar una taza de té con la venezolana.

Resultaba evidente que cada una de aquellas hermosas muchachas empleaba una parte importante de sus jugosas ganancias en costosos vestidos y delicados perfumes, pero se gastaran lo que se gastaran ninguna de ellas competía ni remotamente con la elegancia de la esposa de Romain Lacroix, que no necesitaba lucir más que una sencilla bata de raso blanco, o con la fragancia que emanaba de cada poro de su cuerpo en cuanto hacía el más leve gesto.

Al brasileño recordar el corto tiempo que pasó a solas con ella en aquel pequeño salón continuaba produciéndole una profunda desazón, e incluso ahora un absurdo sentimiento de culpabilidad, como si por el hecho de tener relaciones con una prostituta estuviese traicionando a la mujer que amaba.

—¡No puedo comportarme de un modo tan estúpido! —murmuró para sus adentros—. Ya no tengo quince años, aunque quizá el problema radica en que estoy volviendo a esa edad.

El amanecer del sábado, y pese a que aún le costaba trabajo adaptarse a la idea de que el sábado en Dubai equivalía a los lunes occidentales, le sorprendió despierto, contemplando el azul intenso de las aguas del golfo y la lejana silueta de un gigantesco petrolero que navegaba lentamente, dejando tras de sí una ancha estela blanca, rumbo al estrecho de Ormuz.

Sobre la inmensa cama una rubia polaca roncaba suavemente y sobre la mesa del salón los restos de un bol de caviar hedían tal como suelen heder la mayoría de las cosas tras una noche en exceso agitada.

—¡No es serio! —se recriminó a sí mismo—. Esta no es forma de trabajar cuando están en juego vidas humanas. Parezco un mafioso cuando se supone que soy el bueno de la película.

Un par de horas más tarde, el siempre dispuesto Waffi Waad, al que las destructivas borracheras nocturnas no parecían afectar en lo más mínimo a su agitada actividad diurna como si en verdad se tratara de dos seres humanos diferentes, acudió a notificarle que el avión estaba listo.

—¿Adónde vamos?

—A Amman, naturalmente. Ya he ordenado que localicen a la mujer de Abdull Shami.

El viaje fue tranquilo y relajado, sobrevolando un monótono desierto arábigo en el que no logró distinguir ni tan siquiera una carretera o una pista de tierra que se abriera camino hacia alguna parte, y tan sólo algunas negras «haimas» de beduinos hicieron su aparición cuando comenzaba a oscurecer, y se distinguían en la distancia las primeras luces de la capital jordana.

Era ya noche cerrada cuando subieron a los enormes coches que aguardaban al pie de la escalerilla del avión, y lo primero que llamó la atención de los recién llegados fue la enorme cantidad de personas que cenaban al aire libre a uno y otro lado de la ancha autopista flanqueada de bosquecillos que conducía a la ciudad.

Familias completas, incluidos los niños y los abuelos, tomaban asiento en la hierba en torno a blancos manteles o pequeñas barbacoas sobre las que asaban carne de cordero, mientras que docenas de vendedores ambulantes iban de uno a otro grupo distribuyendo un aromático café turco que cargaban en enormes termos.

—Es una antigua costumbre local —señaló el dubaití al advertir el desconcierto de sus acompañantes—. Cuando el día ha sido muy caluroso todo el mundo acude a disfrutar del aire puro y el fresco de la noche. Se cena, se juega, se habla, se canta y se baila. Los jordanos suelen ser gente pacífica y amante de sus viejas tradiciones.

La ciudad, la capital más antigua del mundo según aseguraba el propio Waffi Waad, era en verdad hermosa, aunque con una belleza diferente a la modernidad de Dubai, puesto que en ella se alternaban barrios por los que probablemente habían transitado contemporáneos de Cristo, con altos edificios de atrevida arquitectura construidos a base de una resplandeciente piedra blanca de extraordinaria limpieza.

En el salón principal del enorme hotel Hyatt un pianista romano interpretaba con gusto viejas canciones algo pasadas de moda, y grupos de lindas muchachas charlaban y reían como si se encontraran en cualquier café de Montparnase.

Pero la esposa de Abdull Shami no estaba en Amman.

—Cuando murió su esposo hizo unos cursos de enfermera y hace ya dos meses que abandonó su casa y se fue a Cisjordania, porque es de origen palestino, y por lo visto llegó a la conclusión de que allí la necesitaban más que aquí.

—¿Cuánto tardarán en localizarla?

—No mucho, puesto que un gran número de jordanos, incluida la reina, son también de origen palestino o tienen algún pariente allí. Lo más probable es que se encuentre en Belén o en Ramala.

—¿Y qué podemos hacer entretanto? —quiso saber el casi siempre pragmático Indro Carnevalli.

—Visitar las obras del mar Muerto —aventuró Waffi Waad—. Es nuestro proyecto más ambicioso y realmente vale la pena, puesto que está destinado a cambiar la faz del mundo.

—¿Y eso?

—¡Ya lo verás!

Dos días más tarde emprendieron, muy de mañana y a bordo de un cómodo vehículo todoterreno, dotado de un potente acondicionador de aire, el camino que descendía hacia el mar Muerto, atravesando en primer lugar la ciudad vieja para avanzar luego, sin prisas, a lo largo de una ancha carretera que serpenteaba entre montañas y barrancos.

Al cabo de poco más de media hora se detuvieron junto a un cartel que indicaba que se encontraban en la cota cero, y que a partir de aquel punto descenderían hacia la depresión geográfica más profunda y extensa del planeta.

A lo lejos, y bajo ellos, se abría el hermoso paisaje del valle del Jordán flanqueado por una estrecha franja de verdes campos cultivados, y a lo lejos se divisaban las torres de vigilancia y las baterías de cañones y carros de combate israelitas.

Pocos minutos más tarde hizo su aparición en la distancia la enorme mancha azul brillante del mar Muerto, y cuando al fin alcanzaron sus orillas a Gaetano Derderian le invadió una extraña sensación al comprender que en esos momentos se encontraba cuatrocientos metros por debajo del nivel de las aguas de todos los océanos del mundo.

En poco se hubiera diferenciado aquella inmensa extensión de agua de cualquier lago, a no ser por el hecho de que las rocas de las orillas aparecían blancas a causa de la excesiva concentración salina, y poco después, casi al mediodía, pudieron advertir cómo el intenso calor hacía que un espeso vaho se elevara sobre la quieta superficie, momento en que el dubaití comentó:

—Cada año se evaporan más de dos mil millones de toneladas de agua, y el nivel desciende unos cuarenta centímetros.

—¡Cuarenta centímetros anuales! ¡Qué barbaridad! ¿Eso significa que en los tiempos de Cristo el nivel del mar estaba a ochenta metros sobre nuestras cabezas?

—Exactamente. Por ello se discute mucho sobre

el punto del río Jordán en que san Juan bautizó a Jesús. Lógicamente tuvo que estar situado más arriba y más cerca de la cabecera de lo que se suele asegurar.

—¿Y dónde se encontraban Sodoma y Gomorra?

—Se supone que por allí abajo. Las sepultó un terremoto. Y al fondo, sobre aquella colina que se distingue al otro lado, se alzaba la fortaleza de Massada que tantos quebraderos de cabeza diera a los romanos. Como veis, nos encontramos en el corazón mismo de la historia. No lejos de aquí se alzan las ruinas de la mítica ciudad de Petra y Wadi Mussa, que quiere decir «el Agua de Moisés», ya que según la tradición es el lugar en que Moisés hizo surgir agua tocándola con su bastón. Curiosamente se encuentra a menos de diez kilómetros del punto exacto en que estamos levantando la planta desaladora que cambiará para siempre estos paisajes.

—¿Una desaladora en el mar Muerto? —se asombró Indro Carnevalli.

—Exactamente.

—Pero si tengo entendido que su agua es nueve veces más salada que la de los océanos.

—Y es cierto.

—¿Y qué explicación tiene si ya de por sí el agua del mar es muy difícil de desalinizar?

—¡Milagros de la ciencia, hijo! ¡Milagros de la ciencia! Según profetizó Zacarías llegaría un día en que «el Templo» conseguiría revitalizar el mar Muerto.

—¿Y eso qué quiere decir?

—En la antigüedad se llamaba «Templo» al lugar en el que se reunían los sabios, y como supongo que recordarás, fue en uno de ellos donde encontraron a Jesucristo cuando se perdió de niño. Nosotros estamos a punto de hacer realidad esa profecía.

—¿Cómo?

—Te lo explicaré mejor cuando lleguemos. Ya falta poco.

Quince minutos más tarde, y tras sobrepasar el punto en que inexplicablemente Abdull Shami había sufrido el accidente que le precipitó al agua costándole la vida, dejaron atrás la orilla sur del mar Muerto y al poco comenzaron a hacer su aparición docenas de camiones, excavadoras, taladradoras, maquinaria pesada de todo tipo y centenares de sudorosos obreros que parecían sumidos en una frenética actividad.

En ese momento Waffi Waad se volvió apenas al chófer para ordenar:

—Sube directamente a la central.

Se desviaron por una sinuosa carretera que trepaba por las montañas del sur hasta alcanzar la cima de una pelada colina en la que se había levantado un hermoso edificio dotado de una gigantesca cristalera que dominaba la región circundante en casi su totalidad.

Desde el perfecto mirador construido a poco más de doscientos metros sobre el nivel de los océanos, y a seiscientos sobre el del mar Muerto que aún se distinguía a unos quince kilómetros hacia el norte, se abarcaba la grandiosidad de un paisaje en verdad sorprendente. Por un lado el desierto de Waddi Run se perdía de vista en la distancia, por el otro se extendía la carretera por la que habían llegado, al frente se vislumbraban las montañas de Israel, y justo bajo ellos, en el fondo de la depresión se abría una especie de gigantesca mina a cielo abierto de la que una larga hilera de pesados camiones que iban y venían continuamente extraían montañas de tierra rojiza mezclada con arena y sal.

—¡Aquí esta! —fue lo primero que dijo Waffi

Waad indicando una detallada maqueta que ocupaba el centro de la enorme sala, y señalando a continuación a cuanto se distinguía en el exterior—. La mayor obra de ingeniería que se haya llevado a cabo desde que se concluyó el canal de Panamá.

—Parece impresionante.

—Y lo es. Producirá dos millones de metros cúbicos de agua potable cada día. Lo suficiente como para abastecer a diez millones de personas, o para regar miles de hectáreas que producirán ingentes cantidades de alimentos, puesto que el valle del Jordán es realmente la «Tierra Prometida».

—¿Dos millones de metros cúbicos diarios? —no pudo evitar repetir Gaetano Derderian—. ¡Pero eso es una enormidad! Conozco muchos ríos que no llevan ni la mitad de ese caudal.

—Muchos, en efecto —repitió el dubaití, al que se advertía encantado con el efecto que causaban sus palabras—. Con la ventaja de que este nunca se verá afectado por las riadas o las sequías. Fluirá mansamente hasta el fin de los siglos puesto que la fuente de la que se alimenta es eterna.

—¿El mar Muerto? —aventuró un sorprendido Indro Carnevalli.

—¡En absoluto! Ese podría agotarse en un futuro, aunque muy lejano, aparte de que, como bien has dicho, es demasiado salado. La fuente de alimentación es el mar Rojo, que al comunicar con el océano Índico y por lo tanto todos los demás océanos, resulta inagotable.

—Pero el mar Rojo queda muy lejos de aquí —le hizo notar el italiano.

Su interlocutor señaló al desierto que se extendía a su izquierda al puntualizar:

—Exactamente a ciento treinta kilómetros en aquella dirección.

—¿Y piensan traer dos millones de metros cúbicos de agua todos los días desde ciento treinta kilómetros de distancia?

—¡No! —fue la segura respuesta—. Dos millones, no. ¡Ocho millones!

Gaetano Derderian y su discípulo Indro Carnevalli no pudieron por menos que intercambiar una mirada de desconcierto o tal vez incredulidad, y tras echarle un nuevo vistazo a la detallada maqueta, el primero de ellos inquirió:

—¿Y por qué ocho millones?

—Porque son los que se necesitan si queremos que se consigan dos millones de toneladas de agua dulce prácticamente gratis.

La pregunta se encontraba impregnada de una cierta ironía:

—¿Y crees que somos lo suficientemente inteligentes como para estar en condiciones de entenderlo?

—Supongo que sí.

—Entonces, ¿a qué esperas para aclararnos por qué extraña razón se necesita cuatro veces más agua de mar de la que se convierte en dulce, y qué diablos pasa con la que sobra?

—A nada. —Waffi Waad se aproximó hasta casi rozar el cristal del gigantesco ventanal, y con un leve ademán de la barbilla señaló hacia la distancia—: Observa bien ese desierto —dijo—. Es tan plano como una mesa, y a ciento treinta kilómetros se alza la ciudad de Akaba, a orillas del mar Rojo. En estos momentos cientos de obreros están tendiendo ocho gigantescas tuberías de casi tres metros de diámetro, cada una con capacidad para transportar diariamente un millón de metros cúbicos de agua.

—Pero eso exigirá un coste energético altísimo —le hizo notar el pernambucano—. El agua no se desplaza sola ni tan siquiera en llano y además existen las llamadas «pérdidas de carga» por rozamiento contra las paredes.

—¡Vaya! —exclamó el otro sin poder evitar una sonrisa—. Veo que entiendes de física.

—No hace falta haber estudiado gran cosa para saber algo tan elemental.

—¡Pues te garantizo que muchos lo ignoran! Pero a lo que vamos, existe, en efecto, un coste energético, pero observa esa depresión de casi cuatrocientos metros hasta el mar Muerto… ¿Qué ocurrirá cuando ese agua caiga de tanta altura?

—Que si se turbina abajo generará mucha energía.

—¿Cuánta?

—Eso ya no lo sé.

—Yo te lo diré. Generará exactamente cuatro veces más energía de la que ha consumido hasta llegar ahí. ¿Estás de acuerdo?

—Si tú lo dices.

—No lo digo yo —puntualizó quisquilloso el dubaití—. Lo dice la física. Y eso significa que con dos millones de metros cúbicos que dejemos caer y turbinemos habremos producido la energía suficiente como para transportar toda el agua hasta ese punto.

—Entiendo. ¿Pero qué haces con el agua turbinada?

—La enviamos al mar Muerto que de inmediato la evapora, porque como ya te dije evapora seis millones de metros cúbicos diarios.

—Empiezo a ver las cosas más claras.

—¡Yo no! —protestó Indro Carnevalli—. No tengo ni idea de física, pero continúa.

Waffi Waad le dedicó una leve sonrisa, hizo una nueva pausa puesto que evidentemente estaba disfrutando del momento, y al poco añadió:

—¡Bien! Tenemos el agua allá arriba, y entonces, cuatro millones de metros cúbicos los introducimos en tuberías de alta presión. Con los cuatrocientos metros de la depresión, y los trescientos más hasta el fondo de ese enorme agujero que estamos excavando, se consigue que abajo exista una presión de setecientos metros, equivalente a setenta atmósferas, porque como todo el mundo sabe, cada diez metros de columna de agua de mar equivale a una atmósfera de presión.

—Yo no lo sabía —reconoció el italiano.

—Yo sí —admitió Gaetano Derderian—. Es lo primero que me enseñaron cuando hice un cursillo de buceo.

—¡Chico listo! ¿Sabías también que setenta atmósferas es exactamente la presión osmótica?

—A tanto no llego.

—Pues así es. Con una presión de setenta atmósferas, las llamadas «membranas de ósmosis inversa» dividen el agua en dos partes prácticamente iguales: una dulce y perfecta para beber, y la otra doblemente salada.

—Interesante.

—Será todo lo interesante que quieras —protestó de nuevo el italiano—. Pero yo sigo en la inopia. ¿Qué es una «membrana de ósmosis inversa»?

—Algo que inventó alguien muy listo —replicó el dubaití—. Luego te enseñaré una, pero ahora debes creerme: hace lo que digo. La mitad del agua, la doblemente salada, sale de la membrana con tanta presión, que con la energía sobrante conseguimos que la mitad del agua, la dulce, que se ha quedado abajo suba también hasta el borde del agujero.

—¡Muy astuto! —no pudo por menos que reconocer el brasileño—. Habéis conseguido colocar el agua dulce al borde de ese enorme agujero. ¿Qué ocurre entonces?

—Que los dos millones de metros cúbicos que nos quedaban los dejamos caer de igual modo por la depresión, los turbinamos abajo, pero en esta ocasión no producimos energía eléctrica sino que introducimos directamente el eje de la turbina en el eje de una bomba que impulsa esa agua hasta el valle del Jordán e incluso hasta Amman, en lo que constituye, como te decía, un auténtico río de agua dulce gratuito e inagotable.

—¡Ingenioso! Muy ingenioso.

—Milagros de la ciencia moderna. La profecía de Zacarías hecha realidad.

—Si es como lo cuentas reconozco que se trata, en efecto, de la obra de ingeniería más importante que se ha llevado a cabo desde que se construyó el canal de Panamá.

—Pues es como te lo cuento. Y la está llevando a cabo la Corporación Acuario & Orión. A las multinacionales se nos ataca mucho, pero en este caso una de ellas va a conseguir cambiar la faz del desierto. Daremos agua, trabajo y alimentos a cientos de personas que nunca soñaron con que algo así fuera posible.

—¿Y cuándo estará terminada?

—Dentro de dos años si dejan de boicotearnos.

—¿Y quién puede tener interés en boicotear una obra tan beneficiosa para tanta gente?

—No lo sé, pero sospechamos que se trata de fanáticos.

—¿Integristas islámicos?

El otro le dirigió una larga mirada de reproche al replicar.

—¿Por qué siempre se asocia la idea de fanatismo

al islam? Allí, al otro lado de la frontera, encontrarás judíos ortodoxos tan peligrosos o más que nuestros integristas.

—Te creo, ¿pero qué interés pueden tener unos judíos, por muy ortodoxos que sean, en boicotear una obra que tan sólo afecta a los jordanos?

—Mucho, porque Israel posee en la actualidad uno de los ejércitos más costosos del mundo. Gastan millones en armamento con la disculpa de que deben proteger los asentamientos de sus colonos, y la eterna disputa se centra en el hecho de que alegan que necesitan tierras para sus colonos.

—Es un país muy pequeño.

—Pero que está deshabitado en su mayor parte. El desierto del Negev podría acoger a miles de esos colonos si les proporcionaran agua. Y la frontera está ahí mismo, justo a diez kilómetros de donde estamos tendiendo nuestras tuberías.

—No entiendo a qué te refieres.

—A que las condiciones geográficas son idénticas, con el mismo desnivel y el mismo mar Muerto. Las dos regiones son como un espejo una de otra. Si los hebreos se gastaran la centésima parte de lo que gastan en armamento en construir una desaladora como la nuestra, se acabaría el conflicto. Toda esta mísera y sufrida región del planeta se convertiría en un vergel en el que árabes y judíos podrían vivir en paz y armonía.

—¿Y por qué no lo hacen?

—Porque a los hombres como Ariel Sharon no les interesa la paz y la armonía entre los pueblos. Aman el poder sobre todas las cosas, y saben perfectamente que el miedo y la violencia es lo único que les permite mantenerse en ese poder.

—Eso suena muy duro —le hizo notar el brasileño.

—Aquí todo es muy duro, amigo mío —replicó el otro—. Sobre todo para las madres que ven cómo cada día matan a sus hijos o se matan ellos mismos al convertirse en bombas humanas. Por eso a veces me asalta esa impresión de que son hombres como Sharon los que no quieren que dentro de un par de años les estemos proporcionando un río de agua dulce a los jordanos. ¿Qué disculpa pondrán entonces para continuar con su absurda política de asentamientos de colonos?

—Visto así tiene una lógica.

—Toda la del mundo —insistió Waffi Waad—. ¿Sabes cómo vamos a llamar al proyecto cuando esté concluido: el «Río de la Paz», pero te aseguro que son muchos los que no quieren que exista ese río, ni esa paz.

Balanceándose en una hamaca, en la terraza exterior del acogedor edificio, agradeciendo la fresca brisa del atardecer, y observando cómo un sol que semejaba un doblón candente comenzaba a ocultarse tras la colina de Massada, Gaetano Derderian disfrutaba del silencio mientras reflexionaba sobre cuanto había visto y había escuchado durante aquel fascinante y largo día.

Hombre de ciudad, nacido en el país que poseía las más extensas y húmedas selvas del planeta, se encontraba como pez fuera del agua en el corazón del desierto por el que los israelitas habían vagado durante cuarenta largos años, pero curiosamente no se sentía en absoluto incómodo, sino que experimentaba la sensación de que había abierto los ojos a un mundo del que ni siquiera sospechaba la existencia.

Y no eran probablemente las rojizas rocas o las blancas arenas lo que más le impactaba, sino el hecho de descubrir que el ser humano podía llegar a ser tan extraordinariamente sorprendente como para empeñarse en la tarea de convertir un áspero erial en un jardín.

No entendía gran cosa de física, pero las explicaciones del dubaití habían sido tan claras, que no ponía en duda que el viejo sueño de convertir los mares en ríos estaba a punto de convertirse en realidad.

El viejo Zacarías podía permitirse el lujo de sonreír en su tumba. El «Templo» haría revivir las orillas del mar Muerto.

También él se vio obligado a sonreír al comprender que una vez más sentía celos de Romain Lacroix pese a que en esta ocasión no estuvieran motivados por el hecho de que estuviera casado con una mujer maravillosa, poseyera un palacio, cuadros de firma o una fortuna incalculable.

Sentía celos por el hecho de comprender que estaba llevando a cabo una obra que quedaría en la historia como el mejor ejemplo del triunfo del hombre sobre la más hostil de las naturalezas.

«Es un proyecto que lleva adelante la Corporación Acuario & Orión sin ayuda de nadie...», había asegurado Waffi Waad con innegable orgullo. «Cuatro mil millones de dólares que hemos sacado directamente de nuestros bolsillos con el fin de hacer realidad el "Río de la Paz".»

¡Mierda!

A un hombre capaz de hacer realidad un sueño como aquel no se le podía negar el derecho a tener una mujer como Naima Fonseca.

Y una mujer como Naima Fonseca se merecía un hombre como aquel.

¡Mierda!

¡Mierda, mierda, mierda!

Cerró los ojos pero los volvió a abrir de inmediato puesto que a su mente había acudido la inquietante visión de la suave curva de los pechos de la venezolana.

Y la brisa del desierto parecía transportar entre sus alas el embriagador aroma de su piel.

El sol se ocultó tras las montañas y las más espesas sombras rodearon, no a la tierra, sino al hombre que se mecía en la hamaca.

Rodearon de igual modo su alma de una profunda angustia, puesto que el amor puede ser a la vez luz cegadora o tinieblas impenetrables, y sabía muy bien que le había caído en suerte el lado oscuro de aquella hermosa luna.

Ninguna esperanza le quedaba frente a un rival como el francés.

¡Pero Naima continuaba siendo tan hermosa!

La imaginó toda vestida de blanco, cubierta con una gran pamela y lanzando una botella de champaña con lo que daría por inaugurado el «Río de la Paz».

Y su marido estaría como siempre a su lado, la tomaría por la cintura, la besaría en el cuello y aspiraría ansiosamente su perfume.

¡Mierda!

—Y lo peor del caso es que me empezaba a caer bien ese hijo de puta —masculló para sus adentros—. El mundo está mal repartido. Unos tanto y otros tan poco.

Sonrió de nuevo sin poder evitar burlarse de sí mismo y de los absurdos celos que le estaban atormentando.

—Te suponía más listo —se dijo—. Muchísimo más listo.

Pero era lo suficientemente listo como para comprender que los sentimientos poco o nada tienen que ver con la inteligencia.

Sin saber por qué le vino a la mente una noche especialmente apasionada en la que le comentó a su amante del momento, una ecuatoriana de cuyo nombre jamás conseguía acordarse:

—No cabe duda de que el amor ata.

—Te equivocas —le replicó ella segura de lo que decía—. El amor «une». Es el sexo el que ata. Cuando el amor acaba se produce un paulatino distanciamiento, pero casi siempre perdura el afecto. Sin embargo, cuando el sexo acaba, los lazos se desatan como si nunca hubieran existido.

—¿Y lo nuestro es amor o sexo?

—¡Puro sexo, querido mío, puro sexo! ¡Y del bueno! «Cosecha del 69.» Por eso dentro de un mes, si te he visto, no me acuerdo.

Razón tenía como quiera que se llamase aquella apasionada ecuatoriana puesto que pese a que vivieron un explosivo idilio, con el estallido del último cohete la oscuridad se hizo más densa y todo pasó a formar parte del voluminoso libro del olvido.

Pero estaba seguro de que con Naima Fonseca todo tenía que ser diferente. Con Naima amor y sexo debían ser una misma cosa; algo que une y ata y algo que nunca acaba, puesto que era una mujer para la que no existían páginas en los voluminosos libros del olvido.

Llegaban las sombras cuando retumbó a lo lejos la primera explosión.

En el fondo de una mina excavada a cielo abierto, a casi setecientos metros bajo el nivel de los mares, los obreros comenzaban los trabajos de perforación de noche y a la luz de lejanos focos, puesto que a pleno sol del desierto aquel lugar se convertía en una especie de sucursal del infierno.

—Es un trabajo muy duro —había puntualizado Waffi Waad—. Durante la noche se profundiza con dinamita, y durante el día se retira la tierra por medio de maquinaria dotada de aire acondicionado puesto que de otro modo los hombres se deshidrata-

rían. A veces la temperatura se aproxima a los setenta grados.

—¿Y nunca se descansa?

—Nunca. Los turnos son de veinticuatro horas de
trabajo ininterrumpido porque los musulmanes tienen libre los jueves y los viernes, mientras que los
cristianos descansan los sábados y los domingos. Así
lo venimos haciendo sin perder ni un solo minuto
desde hace dos años.

Y todo ello se debía sin duda a la increíble fuerza de voluntad de Romain Lacroix, que había demostrado ser un auténtico hombre de empresa con visión
de futuro a la hora de empeñarse en idear y sacar
adelante tan ambicioso proyecto.

¿Quién podía soñar con disputarle la mujer a un
hombre así?

Él no, desde luego.

Ni nadie que tuviera dos dedos de frente.

Se esforzó una vez más por apartar de su mente a
la mujer de los ojos color miel y concentrarse en su
trabajo, que no era otro que intentar averiguar quién
pretendía matar a su marido.

Necesitaba pensar, pero aunque en principio el
lugar y la noche invitaban a ello, el intermitente retumbar de los barrenos se lo impedía, porque sus
pensamientos eran como palomas que pretendieran
posarse en la cabeza de una estatua, pero cada vez que
lo intentaban una nueva explosión las espantaba.

Su particular tablero de ajedrez mental se mostraba
cada vez más revuelto, visto que torres, peones o caballos vivían empeñados en saltar locamente de un lado
a otro, mientras el rey blanco corría cada vez más peligro y su dama se adueñaba de incontables casillas.

Gaetano Derderian había perdido el rumbo y lo
sabía.

Desde el momento mismo en que aterrizó en Dubai para enfrentarse a la lujosa extravagancia de una ciudad que podría considerarse la Bagdad de *Las mil y una noches* en versión del siglo XXI, y desde el momento mismo en que aceptó mantener relaciones con una prostituta, cosa que no había hecho jamás anteriormente, la mayor parte de sus neuronas se movían a su antojo como si de improviso las hubieran liberado de sus viejas ataduras.

Echaba de menos una habitación fresca, silenciosa y en penumbras, sin más muebles que un sillón de orejas y una blanca pared en la que clavar la vista y pasar largas horas muy quieto archivando de nuevo cada idea en su sitio.

Poco antes de la cena, y cuando una luna en creciente comenzaba a hacer su aparición tras las montañas que se encontraban justamente a su espalda, Indro Carnevalli acudió a tomar asiento a su lado.

—¿En qué piensas? —quiso saber.

—En todo, menos aquello en lo que debería pensar —admitió sin el menor reparo—. A menudo tengo la impresión de que se me han derretido las ideas.

—Puede que se deba al calor —aventuró humorísticamente el italiano.

—¿Olvidas que nací en Pernambuco? —fue la respuesta—. A mí lo que me afecta es el frío, no el calor. Pero para todos los efectos ahora es como si me encontrara en Siberia.

—Te conozco y me consta que pronto recuperarás el equilibrio —dijo el otro esbozando apenas una sonrisa—. Siempre que estás a punto de encontrar la respuesta a un problema sueles pasar por unos momentos de desconcierto.

—Puede que sea cierto —admitió el brasileño—. ¡Ojalá lo sea! Pero me temo que en este caso las cosas no son tan sencillas. No se trata de encontrar una respuesta a un problema, sino muchas respuestas a muchos problemas.

—¿Como por ejemplo?

—Los sabotajes.

—¿Los sabotajes? —repitió Indro Carnevalli evidentemente perplejo—. ¿Y qué tienen que ver los sabotajes con el robo de un Van Gogh, las muertes de Shami, Barriere o Tabernier y las amenazas a Romain Lacroix?

—Lo ignoro, pero no me convence la teoría de que se trata de ortodoxos judíos. Por la misma regla de tres podría tratarse de fundamentalistas islámicos.

—¿Fundamentalistas islámicos? —repitió de nuevo el otro—. ¿Qué razón podrían tener para fastidiar a su propia gente? Esa desaladora será una bendición de Dios para los jordanos.

—Precisamente por eso: porque será una bendición que convertirá Jordania en un Edén.

—¿Y qué tiene de malo?

—Desde nuestro punto de vista ninguno, pero hay que tener en cuenta que Jordania es un reino liberal, moderno y democrático, en el que no se aplican las rígidas leyes o las arcaicas costumbres que los fundamentalistas se empeñan en imponer a toda costa.

—Puede que tengas razón. Para los fundamentalistas el modelo a seguir es el de los talibanes de Afganistán que obligan a las mujeres a cubrirse de pies a cabeza y vuelan con dinamita las estatuas de Buda.

—Lo cual significa que, en buena lógica, deben estar en contra de unos «infieles» jordanos que permiten a las mujeres lucirse en traje de baño y se dedican a construir «diabólicas desaladoras».

—¿Y crees que eso es motivo suficiente para sabotearlas?

—En los últimos años he visto cometer tantas atrocidades en nombre de la fe, ¡cualquier tipo de fe!, que nada me sorprende.

—Supongo que desde el punto de vista de un talibán consentir que un país como Jordania convierta los desiertos en vergeles y consienta que su gente prospere y sea feliz, constituirá la peor de las ofensas a su forma de pensar —admitió el italiano.

—Y una inaceptable derrota para quienes preconizan el triunfo del atraso y el oscurantismo —corroboró su interlocutor—. Ten presente que quien come bien y folla bien, raramente se convierte en fanático de nada. Las filas del extremismo se suelen nutrir de hambrientos e impotentes. Y ese es un concepto aplicable a todas las religiones y a todas las ideologías políticas.

—¡De acuerdo! —masculló al poco Indro Carnevalli que no parecía demasiado convencido—. Pero olvidemos de momento a los extremistas de uno u otro signo. ¿Quién, aparte de ellos, podría estar interesado en boicotear el proyecto?

—Supongo que alguien a quien le perjudique económicamente.

—¿Como por ejemplo?

—No lo sé —fue la sincera respuesta—. Tal vez empresas dedicadas al mismo negocio y que hayan llegado a la conclusión de que si la Acuario & Orión lleva a buen puerto este proyecto se convertirá en líder mundial del sector. Y los expertos opinan que el agua será el mayor problema y el mayor negocio del futuro.

—Algo he leído sobre eso.

—Creo que fue Churchill quien dijo: «Podemos ganar la batalla de Inglaterra sin aviones, sin cañones y hasta sin puros, pero nunca podremos ganarla sin barcos». De la misma manera se podría asegurar que se puede sobrevivir sin gasolina, sin ordenadores y hasta sin preservativos, pero nunca sin agua. Si este «Río de la Paz» fluye algún día, ten por seguro que Romain Lacroix se convertirá en una especie de rey Neptuno, y eso es algo que a muchos no debe gustarles.

—Admito que este asunto me tiene cada vez más confuso.

Gaetano Derderian se puso en pie, se aproximó al borde del acantilado, observó a cuantos se afanaban allá abajo a la luz de enormes focos en lo que más parecía un decorado de película que una acción real, y tras lanzar un hondo suspiro, exclamó:

—¡Bienvenido al club de los perplejos!

—¿Qué piensas hacer ahora?

—Meditar —fue la segura respuesta—. Aunque este no es lugar apropiado para hacerlo. Tanto ajetreo y tanta explosión me impiden concentrarme.

Al día siguiente se agenció una nevera portátil, una cesta con comida y una manta, y trepando al cómodo todoterreno que les había llevado hasta allí se adentró, solo, en el cercano desierto de Wadi Run, siguiendo el ejemplo de Lawrence de Arabia que en los *Siete pilares de la sabiduría* reconocía que cuando necesitaba reflexionar elegía aquel desolado paisaje de negras montañas y rojizas arenas como el lugar idóneo para encontrarse con Dios y consigo mismo.

Y tal vez fue a aquel mismo desierto al que Jesucristo se retiró a meditar durante cuarenta días y cuarenta noches.

A media mañana se sintió perdido.

A media tarde, el último hombre sobre la tierra.

A media noche, feliz.

Tumbado sobre la cálida arena, contemplando las

miríadas de estrellas que de tanto en tanto se convertían en miríadas más una que cruzaba el cielo con un leve fulgor para desaparecer de inmediato, el hombre que amaba el silencio encontró en aquellas soledades mucho a lo que amar, puesto que cabría asegurar que el auténtico silencio había nacido muchos siglos atrás en aquel perdido rincón del universo para extenderse luego, adulterado, hacia los cuatro puntos cardinales.

Pasaba las noches en vela, se extasiaba ante unos amaneceres que contaban allí con más colores de los que hubiera visto nunca, dormitaba a la sombra del vehículo durante las horas de insufrible bochorno, y trepaba luego a lo alto de una colina a contemplar cómo el sol se ocultaba sobre Cisjordania.

Tres noches de concentrada reflexión dan para mucho.

Sobre todo para alguien que había convertido la reflexión casi en un arte.

Todo lo que había visto, todo lo que había oído y todo lo que había leído durante las cuatro últimas semanas, aparecía ahora ante sus ojos con absoluta nitidez, cada pieza en su casilla, cada personaje en su entorno, cada problema en su lugar.

Los recuerdos acudieron sumisos a su reclamo.

Cuanto pudiera guardar en lo más profundo de su memoria e incluso de su subconsciente que pudiera tener algún tipo de relación con cuanto le preocupaba emergió a la superficie permitiéndole conectar ideas y relacionar entre sí hechos que en apariencia no tenían relación.

Comía poco.

Bebía poco.

Dormía poco.

Pensaba.

Al igual que el deportista se entrena durante años para exigirle a su cuerpo el máximo rendimiento cuando llega el momento de competir, Gaetano Derderian había entrenado a su mente para que, en circunstancias como aquella, nunca le fallara.

Y en aquella ocasión no le falló.

A su vuelta llamó a Gerry Kelly para pedirle que desplazara un equipo a Lausana con el fin de que investigara a fondo sobre la vida y milagros de los responsables de un museo de reproducciones de cuadros famosos que recordaba haber visitado mientras preparaba su tesis doctoral sobre los pintores holandeses del siglo XVII, doce años atrás.

Siempre le había llamado poderosamente la atención la meticulosa fidelidad de algunas de las reproducciones que allí se exhibían, hasta el punto de que incluso a él le había costado trabajo determinar si una famosa *Vieja sentada* era auténtica o falsa.

A la noche siguiente, en cuanto la indiscutible eficiencia de su experimentado equipo humano propició que en la pantalla de su ordenador empezaran a hacer su aparición respuestas concretas a sus múltiples preguntas, se reunió con Indro Carnevalli en la terraza del hermoso mirador.

—Creo que estamos a punto de resolver uno de nuestros problemas —le espetó de buenas a primeras.

—¿Cuál de ellos? Tenemos muchos.

—Por desgracia el menos importante: el que se refiere al robo del Van Gogh.

—¿Acaso sabes ya quién lo hizo?

El brasileño negó con un leve ademán de la cabeza y una extraña sonrisa.

—Exactamente no, pero sé cómo lo hizo y para quién lo hizo, y creo que también sé dónde se encuentra el cuadro en estos momentos.

El italiano no pudo evitar que quedara al descubierto la magnitud de su desconcierto, y tras unos instantes de duda, inquirió:

—¿Cómo puedes haberlo averiguado sin moverte del desierto?

—Razonando.

—¿Razonando? —repitió el otro incrédulo—. ¿A qué tipo de razonamientos te refieres?

—A aquellos que nos llevan por los caminos que supuestamente no deberíamos seguir, o por lo menos se espera que nunca sigamos. —Le miró a los ojos y sonrió de nuevo al añadir—: ¡Piensa un poco! ¿Cómo se puede robar un cuadro de más de metro de alto por otro tanto de largo en un castillo dotado de un sofisticado sistema de alarma y una docena de guardianes?

—Preferiría que tú me lo aclararas porque no tengo el menor interés en amanecer aquí sentado.

—La respuesta es simple: no robándolo.

—¿Y eso qué significa?

—Que el cuadro no salió de la casa. Esa noche, alguien que estaba en el interior desconectó las alarmas, salió al exterior, forzó un balcón y dos puertas, se llevó el cuadro y a continuación conectó de nuevo las alarmas que comenzaron a aullar. Los guardianes acudieron de inmediato y el cuadro no estaba ya en su sitio pero observaron cómo un coche huía en la distancia.

—¿Fue así cómo ocurrió?

—Así es como me lo han contado, y la pregunta clave es, ¿cómo pudo alguien robar el cuadro, correr por la nieve y salir huyendo en tan poco tiempo?

—¿Y la respuesta?

—Que quien huía no era el ladrón, sino un cómplice que estaba listo para ponerse en marcha en cuanto sonaran las alarmas.

—¿Y nadie se planteó que eso hubiera podido ocurrir?

—La policía. Por eso durante los días que siguieron no dejaron salir a nadie y buscaron hasta en el último rincón de la casa.

—¿Y cómo es que no encontraron el cuadro?

—Porque lo habían quemado.

—¿Un Van Gogh? —se horrorizó Indro Carnevalli—. ¿Pretendes hacerme creer que alguien se arriesgó a robar un Van Gogh para quemarlo? —Ante el mudo gesto de asentimiento, insistió—: ¿Por qué?

—Formaba parte del plan —fue la tranquila respuesta—. La misma noche del robo, que por lo que sabemos nevaba y hacía mucho frío, el ladrón bajó a las calderas y quemó el cuadro, incluido el marco. No quedaron de él ni las cenizas.

—¡Sigo sin entenderlo! —se lamentó de un modo casi infantil el italiano—. ¿Qué interés podría tener nadie en quemar un cuadro que vale millones?

—Es que era falso.

—¿Falso? —se escandalizó el otro que se había quedado con la boca abierta y como idiotizado—. ¿Pretendes hacerme creer que un hombre como Romain Lacroix tenía un Van Gogh falso en su casa?

—¡En absoluto! El Van Gogh era auténtico.

—Pero tú mismo acabas de decir…

—Que el que quemaron era falso. Y es cierto. Días antes, no sé cuántos, pero eso carece de importancia, el ladrón debió desconectar las alarmas y sustituir el lienzo auténtico por una copia lo suficientemente buena, como para que nadie advirtiese a primera vista el cambio. Hay que ser un auténtico experto para descubrir que se trata de una simple falsificación a no ser que se tengan sospechas, y desde luego nadie, y Lacroix menos que nadie, tenía motivos para sospechar de aquel Van Gogh. De ese modo, en el transcurso de tal vez una semana, el ladrón tuvo la oportunidad de sacar la tela auténtica de la casa y entregársela a su cómplice. Luego, cuando la ocasión le pareció propicia, montó la ruidosa farsa.

—¡Qué plan tan astuto! ¿Y quién lo llevó a cabo?

—Alguien que trabaja en el interior. Pero el plan no era suyo. Se limitó a hacer lo que le ordenó su cómplice, y ese sí que es, a mi modo de ver, de lo más astuto. —El pernambucano no pudo evitar una nueva sonrisa—. Tanto, que casi me da pena denunciarlo y por eso creo que lo mejor que podemos hacer es intentar sacar el mayor provecho posible.

—Continúo sin entenderte —insistió el pobre muchacho que cada vez se hundía más profundamente en un mar de confusión—. Siempre hemos sido una empresa seria y no te creo capaz de sacar provecho de un delito.

—Y no lo soy. Al menos del tipo de provecho que estás imaginando. No me refiero a eso.

—¿Entonces a qué?

—Al prestigio que ganará la firma Derderian y Asociados al anunciar que va a devolver a sus legítimos dueños la mayor parte de los cuadros de gran valor que han sido robados en los últimos años y sobre cuyo paradero nadie tenía la más remota idea.

—¿Acaso sabes dónde están?

—Lo sé. Los tiene la misma persona que robó el Van Gogh de Romain Lacroix.

—¿Y quién es?

Gaetano Derderian abandonó su asiento, se aproximó a la barandilla, observó unos instantes a cuantos trabajaban en el fondo de la hondonada, y al fin replicó al tiempo que observaba de medio lado a su acompañante:

—Respóndeme antes a una pregunta: ¿preferirías tener en el salón de tu casa cuadros falsos, pero que la gente creyera que son auténticos, o cuadros auténticos pero que la gente creyera que son falsos?

El italiano meditó un largo rato, acudió a su lado, apoyó la espalda en la barandilla y por último replicó:

—Supongo que preferiría tener los auténticos sin importarme lo que pensaran los demás.

—Lo mismo opino yo —admitió su interlocutor—. Y si además esa persona es profundamente ególatra, se sentirá muy orgullosa de sí misma por el hecho de saber que está engañando a todo el mundo.

—¿Tú crees?

—Supongo que le divierte que le tomen por tonto por el hecho de coleccionar simples copias cuando en realidad tiene los originales. Alguien que desprecia de ese modo la opinión ajena es, en cierto modo, digno de admiración.

—¿Le conoces?

—Yo no, pero Gerry Kelly sí. Al parecer se trata de una viuda medio loca que se ha hecho famosa porque se gasta verdaderas fortunas en copias de cuadros importantes. Se ha convertido en el hazmerreír de muchos esnobs que la consideran estúpida porque con todo lo que lleva gastado en estos años podría haber comprado un Picasso auténtico. Ahora entiendo que es ella quien se burla, y sospecho que disfruta con su pintoresca galería en la que unos días colgará simples copias y otros cuadros de firma que sus invitados contemplarán con una leve sonrisa de desprecio. ¿Quién es en estos momentos la estúpida?, se preguntará. —El brasileño agitó una y otra vez la cabeza como si le costara aceptar lo que iba a decir a continuación—. La verdad es que cuanto más lo pienso, mejor me cae —concluyó.

—¿Pero pese a ello piensas denunciarla?

—¡En absoluto! —se escandalizó el otro—. No pienso denunciarla. Eso no tendría gracia.

—¿Entonces?

—Pienso quitarle los cuadros.

—¿Quitarle los cuadros? ¡San Genaro me asista! ¿Desde cuándo nos dedicamos a robar a la gente?

—Desde que la gente se dedica a robar a otra gente. Pero no te inquietes; en realidad lo que vamos a hacer es llevarnos los cuadros auténticos y dejarle esas copias que tanto le gustan para que continúe disfrutando de ellas.

—¡Menuda cabronada!

—Le daremos a probar un buen trago de su propia medicina.

—No creo que le guste.

—Eso espero. Me encantará ver su cara, sabiendo que ni siquiera puede denunciar algo que robó anteriormente.

—Se la llevarán los diablos.

—Tal vez se lo tome con deportividad. Lo que sí te garantizo es que Derderian y Asociados ganarán mucho prestigio por haber devuelto los cuadros a sus auténticos dueños.

—¿Y cómo lo justificaremos?

—Limitándonos a asegurar que nos los hizo llegar un ladrón arrepentido que confiaba en nuestra honestidad.

—¿Y quién se lo creerá?

—Todo el mundo, puesto que la gente siempre tiende a creerse aquello que de algún modo le beneficia.

—Pero Lacroix seguirá teniendo un ladrón en su casa.

—Lo sé. Y en cuanto las cosas se calmen le haremos a nuestra buena amiga una visita para pedir que nos proporcione el nombre de su cómplice, al tiempo que le recomendaremos que se reforme si no quiere ir a parar a la cárcel. Incluso puede que acabemos haciéndonos amigos. Me encanta la gente imaginativa.

—Todo eso está muy bien, pero me inclino a pensar que si las cosas son como aseguras, el robo de ese cuadro no tiene nada que ver con los sabotajes, las muertes o las amenazas.

—Y no lo tiene.

—¿Estás seguro?

—Todo lo seguro que se puede estar en estos casos.

Indro Carnevalli se rascó la cabeza, como si por el hecho de arañarse con fuerza el cuero cabelludo las ideas pudieran aflorar con mayor facilidad. Era un hombre inteligente y muy capacitado, pese a que le faltara mucho por aprender en tan complejo oficio, pero aun aceptando como aceptaba a ojos cerrados las explicaciones que su «jefe» le había dado, quedaban muchos puntos oscuros que se le antojaban inaceptables.

—Con frecuencia hemos hablado de las coincidencias y las casualidades —dijo al fin—. Y continúo opinando que no me sirven como explicación lógica.

—Y no lo son —aceptó su interlocutor sin inmutarse—. Casualidad y coincidencia son términos opuestos a lógica y raciocinio.

—Tú siempre insistes en que no deberíamos utilizarlas a la hora de investigar.

—Y sigo insistiendo, pero lo cierto es que están ahí, forman parte de la vida cotidiana y el hecho de que no nos gusten no las elimina. Sobre todo en el caso de un hombre como Romain Lacroix. En un solo mes le ocurren más cosas que a cualquier otro en diez años, puesto que se desenvuelve en tantos ambientes y mueve tantos hilos que aun sin quererlo tiene que verse envuelto en mil líos al mismo tiempo.

—Supongo que tienes razón. Ni a ti ni a mí nos robarían un Van Gogh por el simple hecho de que no lo tenemos, y ni a ti ni a mí nos sabotearían una obra como esta porque ni siquiera se nos pasaría por la mente la idea de iniciarla.

Gaetano Derderian abrió las manos con las palmas hacia arriba como si con ello quisiera dejar patente que lo que iba a decir no tenía vuelta de hoja:

—Así están las cosas. Aceptemos su diversidad y enfoquemos cada problema como si fuera único e independiente.

—Tú eres el jefe —fue la respuesta que venía impregnada de un evidente escepticismo—. Respeto tu modo de pensar pero me temo que vamos a salir con las tablas en la cabeza.

—¡Es posible! —admitió el otro—. Pero ya he ganado suficiente dinero como para no tener que preocuparme del futuro, y si continúo en la brecha es porque cada vez me atraen más los retos que me obligan a buscar soluciones imaginativas a problemas cada vez más complejos. Puede que le salve la vida a Romain Lacroix, o puede que no, aún es pronto para saberlo, pero lo que sí sé es que en este mes he aprendido muchas cosas que cada vez se me antojan más interesantes.

El estruendo poco o nada tenía que ver con el continuo retumbar de los barrenos en el fondo de la hondonada.

Llegó casi de amanecida, y las llamas se elevaron al cielo a poco más de diez kilómetros de distancia, allá en la llanura que se extendía hasta las orillas del mar Rojo.

Lo que quedaba de noche desapareció bajo un horizonte rojizo, y con el alba, pasado el peligro de que los saboteadores estuvieran aún por los alrededores, acudieron al punto en que cinco tuberías habían saltado por los aires y media docena de pesadas y costosas excavadoras y dos gigantescas grúas no eran ya más que un montón de humeante chatarra.

Por fortuna no había que lamentar desgracias personales, tan sólo cuatro heridos de escasa consideración, pero la cuadrilla de obreros, filipinos en su mayor parte, aún temblaba al recordar cómo la silenciosa noche se había convertido de improviso en una auténtica sucursal del infierno.

El capataz, un ucraniano de casi dos metros de altura, que semejaba un gorila con sombrero, renegaba en su idioma encarado a unos soldados jordanos que le respondían en árabe, por lo que la escena hubiera resultado hasta cierto punto cómica a no ser por la evidencia del terrible desastre.

—¡Dos semanas de trabajo! —se lamentó el capataz cuando logró recuperar en parte el control de sus nervios—. Dos semanas perdidas y por lo menos otras dos hasta que traigan nuevas grúas, porque sin ellas no podemos colocar las tuberías.

Eran tan grandes que un coche podía circular por su interior, con paredes de fibrocemento de casi diez centímetros de espesor, por lo que resultaba evidente que sin ayuda de una maquinaria muy especializada no existía forma humana de moverlas.

—Esto es el cuento de nunca acabar... —se lamentó Waffi Waad, que había tomado asiento sobre un enorme neumático que había volado a casi treinta metros de distancia para quedar semienterrado en la arena—. No pasa una semana sin que nos ataquen, y lo que me preocupa no es el coste económico o el retraso. Me desmoraliza no entender las razones por las que alguien pretende evitar que hagamos algo tan beneficioso para tanta gente que se está muriendo de sed. Jordania no cuenta con reservas de agua más que para tres o cuatro años y si no acabamos a tiempo la obra la mayor parte de sus habitantes tendrán que unirse a los miles de desplazados que pululan por el mundo.

—No imaginaba que esta desaladora fuera tan vital para el país —le hizo notar el brasileño.

—¡Pues lo es! —replicó con firmeza el dubaití—. La otra opción que existía era la de explotar un acuífero que se ha descubierto muy lejos, cerca ya de la frontera con Arabia. Pero resultaba mucho más costoso porque había que sacar el agua de una gran profundidad y bombearla hasta la capital. Y además era una solución para no más de cinco o seis años, mientras que este sistema es eterno. —Soltó un sonoro reniego—. ¡Pero esos malditos judíos no están dispuestos a que lo consigamos! —concluyó.

—¿Estás seguro de que son los judíos?

—¿Y quién si no? —Levantó el brazo señalando un punto ante él—. ¡Mira allí! Aquella línea, casi a tiro de piedra, marca la frontera con Israel, o sea que no tienen más que atravesarla en la oscuridad, dar una pequeña carrera, colocar una bomba y regresar a su jodido país antes de que explote.

—¿Pero por qué?

—Ya te lo expliqué la otra noche.

—Lo recuerdo, pero si quieres que te diga la verdad no me pareció una argumentación razonable.

—¿Razonable? —repitió el otro fingiendo escandalizarse—. ¿Y cómo pretendes que algo sea razonable encontrándonos donde nos encontramos? El odio entre árabes y judíos es lo más antiguo y lo más irracional que existe. Es como el viejo cuento del rey y sus generales. Si a cualquiera de ellos le dices que le vas a saltar un ojo pero que a su enemigo lo dejarás ciego, lo aceptará. Y si a cualquiera de ellos le ofreces una fortuna pero con la condición de que el otro reciba el doble, la rechazará.

—¿Y cuándo se pondrá fin a esa absurda situación?

—Nunca, porque si por cualquier razón los judíos desaparecieran, nos apresuraríamos a inculcarle su fe a alguien para tener a quien odiar. Y ellos harían lo mismo con nosotros, porque si a los seres humanos les resulta difícil vivir sin amor, a las religiones les resulta imposible vivir sin odio.

—Sin embargo, en la raíz de todas las religiones se encuentra el principio básico de amor al prójimo.

Waffi Waad abandonó su asiento, lanzó una larga mirada al desierto que les rodeaba y a los aún humeantes restos de lo que había sido una reluciente y valiosa maquinaria, y sin darle apenas importancia, sentenció:

—A las religiones les ocurre como a los árboles. Cuando crecen no se las reconoce por sus raíces, sino por sus frutos. Y esos frutos acaban siendo siempre amargos.

Gaetano Derderian le observó sin poder ocultar su extrañeza.

—Te tenía por un hombre creyente —dijo.

—Y lo soy —replicó el otro convencido—. ¿Cómo no voy a serlo si Alá me ha concedido cuanto se puede conceder a un ser humano? Tengo salud, una hermosa familia y soy tan rico que me puedo permitir el lujo de gastar mucho dinero en intentar ayudar a mi pueblo. Sin embargo, otros que alardean de ser mucho más ricos y más creyentes que yo, permiten que sean masacrados o vivan en la miseria.

—La Liga Árabe ayuda económicamente a los palestinos.

—Con miserias. ¡Pura miseria! Yo odio a los hebreos pero reconozco que pese a su fama de avaros son mucho más generosos que nosotros. El estado de Israel vive gracias a las aportaciones de judíos de todo el mundo que en ocasiones se privan incluso de lo que necesitan, mientras que conozco jeques del petróleo que prefieren despilfarrar su dinero en un casino a construir un dispensario en Gaza.

—Me consta que es así —admitió el pernambucano—. Aunque me sorprende que lo admitas.

—Es que yo he llegado a rico por inteligente —fue en cierto modo la humorística respuesta—. No por fanático. Y ahora más vale que nos pongamos en marcha porque el calor empieza a apretar y me apetece darme un buen baño en el mar Rojo.

Un par de horas más tarde se encontraban, efectivamente, disfrutando de la playa junto al lujoso barco que la corporación había alquilado para uso exclusivo del personal que trabajaba en el magno proyecto del «Río de la Paz», y que se encontraba fondeado muy cerca del punto que supuestamente separaba la ciudad jordana de Akaba de la ciudad israelita de Elliat.

Vistos desde el mar o desde el aire, nadie podría determinar dónde terminaba un país y empezaba otro, y como la playa era de libre tránsito y sin apenas vigilancia podría darse el caso de que dos jugadores se estuvieran lanzando la pelota de un lado a otro de la invisible frontera.

No se solían dar problemas de convivencia, e incluso se hablaba de la posibilidad de unificar los ayuntamientos y los servicios básicos con el fin de que sirviera de ejemplo sobre lo que se podía conseguir cuando los seres humanos dejaban a un lado sus diferencias de raza, religión o ideología y decidían actuar a base de buena voluntad.

La moderna Akaba, plagada de turistas amantes del buceo, en nada recordaba a la antigua fortaleza que el coronel Lawrence y sus huestes de camelleros beduinos arrebatara a los turcos en la más famosa y sangrienta de sus batallas, pero los extensos palmerales y los rojizos cerros que la protegían de los vientos que llegaban del desierto arábigo continuaban enmarcando de igual modo unas azules aguas que penetraban en la tierra como una afilada lengua que millones de años atrás aún se unía con el ya lejano mar Muerto.

Y en el centro de la quieta ensenada que sin duda

debía ser la más larga y estrecha del planeta, a no más de una milla de la orilla, una gigantesca plataforma asentada en el fondo marino señalaba el punto exacto en que se instalarían las poderosas bombas que habrían de impulsar ocho millones de metros cúbicos de agua de mar cada día a ciento treinta kilómetros de distancia.

El visionario Zacarías se sentiría feliz de poder sentarse en la arena a observar cómo sus predicciones comenzaban a convertirse en realidad.

Y el siempre animoso Waffi Waad se mostraba orgulloso al comprobar cómo los hombres trabajaban sin un minuto de descanso para que todo estuviera a punto en el momento preciso.

—Si nos dejaran trabajar en paz —decía— el próximo otoño ya estaríamos produciendo agua.

Gaetano Derderian Guimeraes, que se creía de vuelta de todo, y al que pocas cosas conseguían impresionar —excepción hecha del salvaje atractivo de Naima Fonseca— no podía negar sin embargo que aquel faraónico proyecto le fascinaba, quizá no tanto por la magnitud de la obra civil, o por el incontable número de obreros que trabajaban en él, como por el hecho de que representaba un hito en la historia de la eterna lucha del hombre contra la hostilidad de la naturaleza.

Tras haber puesto el pie en la luna o domeñado el átomo, transformar el mar en río se convertía sin duda en el más ambicioso desafío a que podían enfrentarse quienes millones de años atrás descubrieron que esgrimiendo una estaca podían derrotar a sus más implacables enemigos.

Resultaba evidente que los cuatrocientos metros de depresión, y el hecho de que el mar Muerto estuviera allí, dispuesto a evaporar el caudal sobrante significaba una ayuda esencial a la hora de desalinizar el agua a un precio muy bajo, pero el pernambucano estaba convencido de que al igual que habían descubierto aquel sistema, los técnicos de Romain Lacroix se las ingeniarían para buscar nuevas fórmulas de abaratamiento en otros lugares del planeta.

Y el día que todos los mares estuvieran en condiciones de regar todas las tierras, desaparecería el hambre y tal vez llegara, al fin, una bendita época de paz y bienestar.

Su misión consistía, por lo tanto, en procurar que hombres como el magnate francés pudieran continuar embarcándose en proyectos tan importantes como aquel prodigioso «Río de la Paz».

Al día siguiente le comunicaron que la esposa de Abdull Shami había sido localizada en un dispensario de Ramala, y que aunque en un principio se había resistido a la idea de abandonar a unos pacientes que requerían su presencia, la promesa de un cargamento de las medicinas que tanto estaban necesitando le había decidido a emprender viaje a Akaba.

Shireen Shami era una mujer muy delgada y de apariencia frágil, aunque sus enormes y tristes ojos y la expresividad de su boca y su mentón indicaban de inmediato, que una gran fuerza interior compensaban con creces su engañosa fragilidad.

Hablaba muy despacio, casi rumiando cada palabra, y pese a que en un principio se mostró reacia a tratar el espinoso tema, al poco pareció comprender que resultaba estúpido haber realizado un pesado viaje a través del desierto del Negev para responder con evasivas.

Gaetano Derderian había exigido mantener la entrevista a solas, y se las ingenió para ir ganándose su confianza hasta conseguir que abrigara el absoluto convencimiento de que lo único que pretendía era aclarar las extrañas circunstancias de la muerte de su esposo.

Tras escuchar largamente sin dejar de fumar ni un solo instante, la mujer acabó por asentir con un leve ademán de la cabeza, para inquirir escuetamente:

—¿Por qué?

—¿Por qué, qué? —fue la respuesta.

—Por qué de pronto tanto interés por sacar a la luz algo que en su momento nadie quiso investigar. Abdull jamás bebió alcohol y siempre conducía con extremada prudencia, hasta el punto de que incluso a mí me ponía nerviosa. Se lo dije a la policía, insistí haciéndoles notar que el coche estaba casi nuevo y acababa de pasar una revisión, pero nadie me quiso escuchar. Yo sé que le mataron, pero no me creyeron y se comportaron como si se hubiera tratado de un perro atropellado en plena noche.

—¿Y quién podía estar interesado en matarle?

—Eso ya no lo sé, porque de haberlo sabido, mis hermanos se hubieran encargado de vengarle.

—¿Tenía enemigos?

—¿Personales? Ninguno. No iba más que de casa al trabajo y del trabajo a casa. Los niños y yo constituíamos todo su mundo.

—¿Quiere decir con eso que la razón de su asesinato, si es que fue asesinado, tuvo que ver con su trabajo?

—¿Y qué quiere que le diga? —respondió la mujer encendiendo un nuevo cigarrillo con la colilla del anterior—. Usted también trabaja para la corporación.

El brasileño alzó la mano con el dedo índice levantado como si con ello pretendiera corregir su error.

—¡No se equivoque! —le advirtió—. Eso no es cierto. Yo trabajo por encargo de la corporación, pero no en defensa de sus intereses, porque si en estos momentos me preocupara más por defender esos intereses que por descubrir la verdad, le estaría haciendo un flaco favor.

—No acabo de entender lo que quiere decir —reconoció con loable sinceridad Shireen Shami—. ¿Es o no es Acuario & Orión quien le paga?

—Es quien me paga —replicó de inmediato su interlocutor—. Pero no me paga para que le eche tierra al asunto, sino para que desentierre la verdad, sea cual sea. Por si no lo sabía, le diré que su marido tal vez fue el primero de una larga serie de inexplicables asesinatos que pueden concluir con la muerte de Romain Lacroix. Y como comprenderá este tiene mucho más interés en conocer la verdad que en continuar ocultando algo, si es que existe algo que ocultar.

—¿Está completamente seguro de lo que dice?

—Si no lo estuviera no habría aceptado el caso.

Se diría que Shireen Shami necesitaba un cierto tiempo para aceptar que lo que acababa de oír se ajustaba a la verdad, porque abandonó su asiento y avanzó por la cubierta del barco hasta detenerse y contemplar pensativa las rojizas laderas de los cerros del sur.

Cubierta con un sencillo vestido oscuro, sin maquillar, sin adornos de ningún tipo, y con el pelo recogido bajo un gran pañuelo, su aspecto era en verdad patético, y cuando habló su tono rezumaba una profunda amargura.

—Duele reconocer que para que se haga justicia y se intenten aclarar las razones por las que el padre de mis hijos fue asesinado, haya sido necesario esperar a que alguien importante esté en peligro —dijo, y luego se volvió a mirar de frente a quien la observaba acomodado en una enorme butaca de mimbre blanco—. ¿Quiere que le diga una cosa? En el fondo creo que me alegraría averiguar que Romain Lacroix se convirtió en el último eslabón de esa cadena de crímenes.

—¡No habla en serio!

—¿Se jugaría algo? —inquirió con intención—. ¿Qué me importa la vida de alguien a quien nunca he visto, y que en el fondo tal vez sea el culpable de que mataran a Abdull?

—Pero es que él no tiene la culpa —le hizo notar el pernambucano—. Si la tuviera, o si tan sólo sospechara que podía tenerla, no me estaría pagando una fortuna por revolver en la basura. Algunos de sus más fieles colaboradores y su mejor amigo han muerto, y me jugaría la cabeza a que no tiene ni la menor idea de qué puede haber detrás de todo esto.

—Pues procure no perderla porque, por lo que me cuenta, es lo que les suele ocurrir a quienes trabajan para esa maldita corporación que Alá confunda.

El otro pareció armarse de paciencia, abandonó su cómoda butaca y fue a colocarse junto a ella, apoyado en uno de los respiraderos de la nave.

—Ya le he dicho que yo no trabajo para la corporación, aunque al fin y al cabo esa es una cuestión que no viene al caso. Lo único que importa es que me diga si recuerda algo que nos pueda ayudar a aclarar este maldito embrollo.

—¿Algo como qué?

—¿Y qué diablos quiere que le diga? —se lamentó Gaetano Derderian—. Supongo que su marido le contaría cosas, y me gustaría que intentara recordar si alguna vez le comentó que estaba ocurriendo algo que no le gustara o que se saliera de lo normal.

—¿Se refiere a algo ilegal?

—Me refiero a algo «anormal». Que sea legal o no, carece en estos momentos de importancia y no es de mi incumbencia. Yo soy un investigador, no un juez.

Se hizo un nuevo silencio, largo, pesado y casi angustioso puesto que cabría asegurar que Shireen Shami estaba librando una difícil lucha consigo misma.

Por fin, pasados casi cinco minutos, musitó quedamente:

—Estoy muy cansada y necesito meditar con calma. Lo consultaré con la almohada y mañana hablaremos.

Al día siguiente, muy temprano, cuando la mayoría de los técnicos comenzaban a abandonar el barco rumbo a sus lugares de trabajo, Shireen Shami se encontraba en el mismo punto de la cubierta superior y podría creerse que no se había movido de allí, o que tal vez había dormido sin quitarse la ropa.

Sus ojos parecían aún más grandes y más tristes que de costumbre y su fragilidad tan acusada que amenazaba con partirse en dos.

En el momento en que Gaetano Derderian acudió a su lado le miró con profunda fijeza, y tras morderse levemente la comisura de los labios, señaló:

—No estoy segura de que lo que voy a contarle pueda ser importante. Quiero suponer que sí, pero antes de decir una sola palabra le voy a poner dos condiciones.

—¿Y son?

—Que el nombre de mi marido no debe aparecer por parte alguna, puesto que mi primera obligación es defender su memoria ante mis hijos.

—¡De acuerdo!

—¿Me da su palabra de honor?

—La tiene.

—No sé por qué razón, le creo. Es el primer cristiano del que me fío, pero una especie de sexto sentido me dice que es usted de las pocas personas en las que se puede confiar.

—Siempre es de agradecer. ¿Y la segunda condición?

La mujer sonrió apenas, extendió la mano y señaló un punto en la lejana orilla.

—Aquella.

El pernambucano siguió con la mirada el dedo, recorrió con la vista la explanada del muelle y la playa, y tras encogerse de hombros con gesto de absoluta ignorancia, inquirió:

—¿Aquella qué?

—Aquella ambulancia.

Ahora sí que su interlocutor apenas pudo balbucear.

—¿Ambulancia? ¿Qué ambulancia?

—La que tiene dibujado el logotipo de la corporación. En Ramala hace mucha más falta que aquí porque los judíos volaron con uno de sus misiles la última que nos quedaba.

Su acompañante meditó unos instantes, sacó del bolsillo superior de la camisa un diminuto teléfono, marcó un número y en cuanto le respondieron al otro lado, señaló:

—¿Waffi? Encarga a alguien que pongan la documentación de la ambulancia que está en el puerto a nombre de Shireen Shami. ¡No! Ahora no puedo explicártelo. Haz lo que te digo y te aconsejo que pidas otra cuanto antes.

Colgó, se guardó con estudiada parsimonia el teléfono y alzó el rostro hacia la mujer.

—¡Hecho! —dijo—. La ambulancia es suya. ¿Qué tiene que contarme?

La palestina se recostó en su butaca, encendió un cigarrillo, meditó unos instantes, y al fin, como si lo que tuviera que decir le quemara en la lengua, musitó:

—Todo empezó hace unos cinco años, cuando Abdull fue nombrado jefe de gabinete del ministro de Agua y Medio Ambiente.

—Ignoraba que hubiera ocupado ese puesto.

—No fue por mucho tiempo, pero se tomó su trabajo muy a pecho consciente de que a Jordania se le estaban acabando las reservas y si no se encontraba pronto una solución sobrevendría un desastre. Los judíos que controlan el lago Tiberíades no parecen dispuestos a cedernos un solo litro más. Por el contrario, cada día amenazan con cortar el escaso suministro si no nos plegamos a sus deseos. El agua es vital para nuestro país y ellos lo saben.

—Todo el mundo lo sabe. Continúe.

—Abdull trabajaba muy duro y se pasaba la mayor parte del tiempo perforando pozos y haciendo prospecciones cada vez más profundas, pero una y otra vez regresaba desalentado. Encontró agua en la región del norte del mar Muerto, arriba en las colinas, pero resultó ser de tan mala calidad, con tanta salinidad y tan pésimamente distribuida que resultaba casi imposible pensar en potabilizarla. Le aseguro que era un hombre absolutamente destrozado, y la impotencia de no poder cumplir con su obligación le estaba minando la salud.

—Lo comprendo.

—Lo dudo. Nosotros somos palestinos, Jordania nos acogió cuando nos expulsaron de nuestra tierra, y mi marido trabajó de taxista para pagarse la carrera y convertirse en un ingeniero capaz de devolverle al país cuanto nos había dado…

Se hizo un nuevo silencio, tan largo y tan denso como solían ser los silencios de la atormentada mujer que depositó lo que quedaba de su cigarrillo en el cenicero y se quedó con la vista clavada en su danzante espiral de humo como si confiara en que de allí podía extraer nuevas palabras.

Lanzó un profundo suspiro, se volvió a mirar al mar, y por último señaló:

—Fue entonces cuando hicieron su aparición los españoles.

Por unos instantes su interlocutor no supo qué decir. Siguió la dirección de su mirada, se cercioró de que cuanto se veía era un mar que de tan quieto más bien parecía un lago, y por último repitió sin entender a qué se refería.

—¿Los españoles?

—Eso he dicho.

—¿Qué españoles?

Ahora sí que la esposa de Abdull Shami se volvió a mirarle como si estuviera hablando con un retrasado mental.

—¡Pues los españoles! —insistió con terquedad—. ¿Nunca ha oído hablar de los españoles?

—¡Desde luego! Incluso he estado en Madrid y conozco algunos, pero no tengo la menor idea de a qué clase de españoles se refiere.

—A los del proyecto, naturalmente. ¿Qué otros podrían ser?

—¿Proyecto? ¿Qué proyecto?

Shireen Shami pareció comprender que su interlocutor no tenía la menor idea de sobre qué le estaba hablando, y tras agitar la cabeza como si le costara aceptar la realidad, señaló con su calma de siempre:

—Al proyecto «mar Rojo-mar Muerto» que ahora han dado en llamar «Río de la Paz».

El brasileño se mostró tan desconcertado como si hasta la última de sus ideas hubiera escapado volando. Se quedó muy quieto, pero al poco se golpeó apenas la frente con los nudillos como si estuviera tratando de llamar la atención de quien se había aposentado en el interior de su cerebro.

—¿Se refiere a la desaladora? —musitó al fin casi con miedo—. ¿A «esa» desaladora?

—Exactamente —fue la respuesta.

—¿Está pretendiendo hacerme creer que la idea de llevar el agua desde aquí hasta el mar Muerto y desalinizarla aprovechando la depresión, no pertenece a la Corporación Acuario & Orión?

—Creí que lo sabía.

—Primera noticia.

—¡Pues vaya un investigador que está usted hecho! ¡Cómo se entiende que trabajando para ella no esté al corriente de que fue mucho más tarde cuando la corporación se hizo cargo de un proyecto que ya había sido presentado oficialmente en el Ministerio del Agua jordano?

—Nadie me lo dijo. Y sospecho que muy pocos lo saben.

—Mathias Barriere lo sabe.

—Mathias Barriere murió, y hay quien sostiene que probablemente lo asesinaron.

—No me extraña. Ni me entristece. Fue él quien metió a Abdull en este sucio asunto.

—¿Cómo?

—No lo sé. Sólo sé que un buen día apareció en Amman y a partir de ese momento las cosas comenzaron a torcerse. Era un hombre ladino, sinuoso y enredador, amigo de los misterios, los cuchicheos y las medias palabras. Lo aborrecí desde el primer momento porque una especie de sexto sentido me gritaba que era de ese tipo de personas que corrompen cuanto tocan.

—¿Y su marido se dejó corromper?

—Mi marido era un buen hombre pero demasiado débil, y su único objetivo era solucionar el problema del agua de Jordania. Barriere supo convencerle de que los españoles no conseguirían llevar a buen puerto una empresa tan ambiciosa, y que únicamente la Corporación Acuario & Orión disponía de la infraestructura necesaria para convertirla en realidad.

—¿Y él estuvo de acuerdo?

La agobiada mujer se encogió de hombros, extrajo del paquete un nuevo cigarrillo pero se quedó con él entre los dedos rechazando con un gesto el fuego que su acompañante le ofrecía.

—Fumo demasiado —masculló—. Sé que me hace daño, pero cuando lo dejo me encuentro peor.

Se encogió repetidamente de hombros en un gesto que tenía algo de cómico o algo de compulsivo, y al poco añadió:

—¿Qué importa a estas alturas que Abdull estuviera o no de acuerdo? Lo cierto es que se movía mucho dinero bajo cuerda. ¡Muchísimo! Cifras que harían perder la cabeza al más honrado. Y el propio ministro era quien más presionaba, hasta el punto de que llegó un momento en que a mi marido no le quedaron más que dos opciones: o aceptaba la oferta o dejaba su empleo.

—¿Y en qué consistía esa oferta?

—En tres millones de dólares depositados en un banco suizo, y el puesto de director de la oficina de la corporación en Amman hasta que concluyeran las obras.

—¿Llegó a cobrar ese dinero?

—Supongo que sí, aunque nunca he sabido dónde está ni quiero averiguarlo. Es un dinero manchado de sangre que le costó la vida al padre de mis hijos. Está maldito y no pienso tocarlo.

—Se me antoja una tontería por su parte, pero no soy quién para opinar. Si no lo reclama se lo quedará uno de esos bancos que suelen ser, a la larga, los beneficiarios de la mayor parte de los negocios sucios que se hacen en el mundo. Se lo digo por experiencia puesto que la base de mi trabajo consiste en investigar casos parecidos. No puede darse una idea de la ingente masa de políticos, funcionarios corruptos, traficantes de drogas, ladrones o simples evasores de impuestos que mandan su dinero a paraísos fiscales de los que por una u otra razón jamás regresa. —Extendió la mano y golpeó con afecto el antebrazo de su interlocutora al añadir—: El mal ya está hecho y su marido lo pagó muy caro; no sea tan estricta y emplee ese dinero en educar bien a sus hijos o en ayudar a los enfermos de Ramala.

—¿Usted cree que es lo que debo hacer?

El otro asintió con un decidido ademán de cabeza:

—¡Cualquier cosa antes de permitir que se lo queden esos buitres! Si confía en mí haré que mi representante en Zúrich se encargue del tema. Tenemos experiencia en ese tipo de asuntos y los bancos saben que sabemos mucho sobre sus actividades por lo que preferirán no poner problemas a la hora de reintegrar una suma tan modesta.

—¿Modesta tres millones de dólares? —se asombró Shireen Shami.

—«Cacahuetes» en comparación con las cifras que se manejan en este negocio. Cuando el «Río de la Paz» empiece a funcionar, la Corporación Acuario & Orión le venderá al gobierno jordano dos millones de metros cúbicos de agua diarios durante los próximos cuarenta años. ¿Tiene una idea del volumen de negocios que eso significa?

—Ni mi mente ni mi imaginación llegan a tanto.

—Constituye un volumen de negocios en torno a los noventa mil millones de dólares, en el que no se pagará materia prima, ya que el agua de mar es gratuita, ni energía, puesto que la depresión del mar Muerto la genera, ni impuestos, ya que así consta en el contrato. Como el coste de la mano de obra y el mantenimiento son mínimos, lo que le dieron a su marido viene a constituir los ingresos brutos de un día.

—Entiendo. Se vendió por un plato de lentejas.

—¡Más bien por una sola lenteja! —fue la poco compasiva respuesta—. ¿Qué les concedió a cambio?

—Un «concurso público para el abastecimiento de agua al reino de Jordania» hecho a la medida de la Corporación Acuario & Orión.

—Lógico.

—Y la negativa a reconocer la patente de los españoles dentro del territorio nacional.

—¿Negativa a reconocer la patente? —se sorprendió el pernambucano agitando una y otra vez la cabeza con gesto de incredulidad—. ¡Eso sí que es grave! ¿Qué disculpa puso?

—No lo recuerdo. —Shireen Shami se encogió de hombros por enésima vez—. Creo que ni siquiera lo supe nunca porque a Abdull le avergonzaba hablar del tema. Era un hombre honrado, señor; un hombre que siempre había sido honrado, pero al que el sistema empujó hasta apartarle de su verdadero camino, y yo fui testigo de cuánto estaba padeciendo.

—Tal vez por eso se suicidó.

—Los musulmanes no nos suicidamos puesto que ese es el único pecado que nos aleja para siempre del paraíso.

—¡Curiosa noticia! —señaló su interlocutor—. Si no se suicidan, ¿qué es lo que hacen todos esos muchachos que se atan dinamita al cuerpo y la hacen explotar en las calles de Jerusalén?

—Esa es una guerra santa en la que el mártir vuela directamente al paraíso, y aunque personalmente no estoy de acuerdo con un sistema tan salvaje, admito que es el único camino que nos han dejado.

—Sangriento camino en el que suelen morir los que menos culpa tienen. No hace mucho destrozaron a toda una familia en un restaurante. ¿A qué conduce un acto así?

—A que esa noche una familia palestina que duerme en su cama resulte destrozada por un obús de los tanques israelitas.

La actitud de la mujer había cambiado, su tono de voz se había endurecido y su acompañante lo advirtió de inmediato por lo que se apresuró a dejar a un lado el espinoso tema.

—¡Bien! —dijo—. No estamos aquí para hablar de un viejo conflicto para el que supongo que nadie encontrará nunca solución. Volvamos a lo que importa. Por lo que deduzco, entre Mathias Barriere, el ministro y su marido le hicieron una sucia jugarreta a los españoles con el único fin de apoderarse de su proyecto.

—Supongo que es un modo de decirlo.

—Otro modo sería asegurar que se lo robaron descaradamente, ¿no es cierto?

—Más ajustado a la realidad, a mi modo de ver.

—¿Y usted lo sabía?

—Acabé sabiéndolo, eso es cierto. Me daba cuenta de que algo extraño ocurría porque Abdull no comía, apenas dormía y se volvió irritable, pero no me contó lo que había hecho hasta casi un año más tarde.

—¿Y cómo reaccionó?

La palestina torció el gesto manifestando sin necesidad de palabras que la pregunta se le antojaba absurda.

—¿Y cómo quiere que reaccionara? —dijo—. Abdull era el cabeza de familia, el hombre de la casa y el que tenía que decidir lo que más nos convenía a todos. Lo hecho, hecho estaba, y lo que yo pudiera pensar o decir carecía de importancia.

—¿Sigue convencida de que así son las cosas?

—No. Ahora yo soy la cabeza de familia y quien decide lo que está bien y está mal.

—¿Y le consta que su marido cometió un delito?

—Yo más bien diría que las circunstancias y el hecho de no ser más que un simple funcionario que ni siquiera era de origen jordano, sino tan sólo un palestino nacionalizado que de no haberse plegado a lo que le exigían corría el riesgo de ser deportado a Gaza, le obligaron a cometer un delito.

—Entiendo la justificación si no hubiera cobrado por ello.

—Eso es cierto, aunque si quiere que le diga la verdad, en todo este asunto hay algo que resulta indiscutible. —Señaló con un gesto de cabeza hacia la plataforma que se alzaba en el centro de la bahía—. ¡Mire hacia allí y mire este barco y aquella fila de camiones! ¿Qué significa todo eso?

—Que el «Río de la Paz» está en marcha.

—¡Usted lo ha dicho! Bien o mal, legal o ilegalmente, que eso no soy yo quien debe juzgarlo. Y a menudo me pregunto si las obras habrían alcanzado este punto de no ser por lo que hizo mi marido.

—¿Pretende que nos enfrasquemos en la eterna discusión de si el fin justifica los medios? —insinuó saber el brasileño.

El tono de la mujer denotaba un profundo cansancio y una amargura aún más pronunciada al replicar:

—¡En absoluto! —musitó—. Yo lo único que pretendo es volver con mis hijos. Mi vida se hundió en el mar Muerto hace ya mucho tiempo, y si le he ayudado en algo espero que sirva para averiguar cómo y por qué murió realmente mi marido, pero de lo que estoy segura, es de que ya nadie me lo va a devolver.

—Por desgracia así es —reconoció el pernambucano—. ¿Qué fue de los españoles?

—¿De los españoles? —repitió una sorprendida Shireen Shami al tiempo que se ponía en pie como si con ello diera a entender que por su parte no había más que decir—. ¡No tengo ni la menor idea!

—¿Nunca supo quiénes eran, cómo se llamaban o a qué empresa pertenecían?

—Lo único que recuerdo es que una noche Abdull llegó a casa fascinado ante la posibilidad de que los problemas de agua acabaran para siempre. Nunca lo había visto tan entusiasmado y como los niños habían dejado sobre la mesa de la cocina uno de sus cuadernos, lo utilizó para intentar explicarme, con lápices de colores, cómo funcionaba el sistema.

—¿Y lo entendió?

La casi esquelética mujer sonrió amargamente al evocar tiempos mejores.

—¡No mucho! Pero Abdull era un magnífico ingeniero y si él aseguraba que aquello funcionaba, es que funcionaba. —Suspiró como si le fuera el alma por la boca al exclamar—: ¡Señor, Señor! ¿Cómo podía imaginar que aquel dibujo marcaba el comienzo de todas mis desgracias? Pero así es la vida. Y ahora he de irme. El Hitler Gordo jamás descansa.

—¿El Hitler Gordo? —se sorprendió el brasileño—. ¿Quién es ese?

—Ariel Sharon —fue la respuesta—. ¿No lo sabía? —Ante la muda negativa señaló—: Le llaman así porque causa más estragos entre los propios judíos de los que causó el holocausto nazi, con la diferencia de que por aquel entonces la mayoría de la gente intentaba ayudarlos, mientras ahora esa bestia racista ha conseguido que muchos de quienes en aquel tiempo simpatizaban con su causa se hayan replanteado su antigua posición.

—No se puede culpar a todo un pueblo por lo que hagan sus dirigentes.

—En las democracias, sí. Ese es su gran peligro. Yo vivo en Ramala y conozco infinidad de israelitas honrados, pacíficos y muy capaces de convivir en paz y armonía con los palestinos, pero tenga muy presente que se supone que Israel es una democracia, lo cual quiere decir que si gobierna Ariel Sharon es porque una mayoría lo consiente.

—¡Visto de ese modo!

—Es el único modo que existe. Cuando los votos mandan nadie puede eludir sus responsabilidades, y en la historia quedará plena constancia de que al menos la mitad más uno de los israelitas respaldaron a alguien acusado de crímenes contra la humanidad.

Gaetano Derderian pareció comprender que resultaba inútil concluir tan larga, delicada y provechosa entrevista enzarzándose en una estéril discusión con alguien evidentemente demasiado parcial, por lo que se limitó a entregar a su acompañante una tarjeta de visita.

—Le agradezco infinito el tiempo que me ha dedicado; creo que cuanto me ha dicho me será de gran utilidad, pero continúo insistiendo en que debería dejar a un lado unos absurdos escrúpulos que a nada conducen y recuperar el dinero de su marido, aunque tan sólo sea para donarlo a un asilo. No tiene más que llamar a cualquiera de estos teléfonos y darle los datos a mi secretaria. Le garantizo que le devolverán hasta el último centavo, incluidos los intereses de estos años… —Le dirigió una amistosa sonrisa al concluir—. ¡Por cierto…! ¿Sabe manejar una ambulancia?

A la hora del almuerzo Waffi Waad se mostró sinceramente sorprendido, decepcionado, y casi se podría asegurar que amargado, al recibir la inesperada noticia de que, contra lo que siempre había supuesto, la idea original y el estudio preliminar que habían servido de base a aquel prodigioso «Río de la Paz» del que tan orgulloso se había sentido siempre, no pertenecía al nutrido equipo de ingenieros de la todopoderosa Corporación Acuario & Orión, sino a unos desconocidos a los que dicha corporación se los había arrebatado a base de mucha corrupción y mucho juego sucio.

—¡No es mi estilo! —se lamentaba una y otra vez dejando a un lado los cubiertos, perdido al parecer su envidiable apetito—. ¡Ese no es mi estilo! Admito que sin sobornos casi nada funciona, y menos aún en los países tercermundistas, pero robar ideas y patentes es una auténtica canallada. ¿Qué ha dicho Romain?

—Aún no he conseguido hablar con él. Está en Montecarlo, pero su secretario me ha dicho que se pasará todo el día en los boxes porque pasado mañana se corre el Gran Premio de Mónaco en el que participan sus coches.

—¡Llegarán los últimos! —fue el inmediato y despectivo comentario—. Si es que llegan. Se lo advertí cuando me comentó que se proponía comprar esa ruinosa «escudería». Gastarse miles de millones para que dos cacharros de colorines se salgan de la pista a la quinta vuelta o revienten el motor a la novena se me antoja una estupidez impropia de alguien con un mínimo de sentido común. —Dejó la servilleta sobre la mesa como si con ello quisiera evidenciar que no pensaba probar un bocado más, para exclamar con una cierta rudeza—: ¡Bien! Cuanto antes sepamos la verdad mejor. Dentro de una hora usted y yo salimos para Niza. Quiero que Romain me aclare esto cara a cara y sin tapujos. —Sonrió con marcada picardía al añadir—: De paso disfrutaremos de esa carrera desde la cubierta de su yate porque lo tiene atracado en el mejor lugar del puerto y veremos a Naima, lo cual siempre es de agradecer. ¿La conoces? —Ante el leve gesto de asentimiento musitó apenas—: En ese caso no tengo nada que explicarte. Y si no la conocieras tampoco podría explicártelo.

El reactor con el logotipo *A&O* despegó de Amman, aterrizó veinte minutos después en Akaba donde recogió a sus dos únicos pasajeros y de inmediato puso rumbo a Niza.

Llegaron al anochecer, durmieron en el elegante y aristocrático hotel Negresco, y a la mañana siguiente se trasladaron al *Acuarius*, un lujoso navío de casi cincuenta metros de eslora que se encontraba atracado justo frente a la línea de salida y llegada de los coches que al día siguiente habrían de participar en el premio automovilístico más famoso del mundo.

Sin embargo no pudieron entrevistarse con el dueño del barco hasta el atardecer, cuando llegó enfundado en un mono de mecánico, cubierto de grasa y tan feliz como un niño que hubiera disfrutado durante horas con un nuevo juguete.

Abrazó al dubaití con innegable afecto, estrechó la mano de Gaetano Derderian sin preocuparse por el hecho de que se la ensuciaba, y alzó un dedo en señal de advertencia.

—¡No quiero escuchar malas noticias! —exclamó—. Por lo menos hasta después de la cena porque he reservado mesa en Chez Tetou y no estoy dispuesto a que nada ni nadie me eche a perder mi bullabesa con langosta.

La cena resultó en verdad inolvidable, no sólo por el ambiente, última semana de mayo, vísperas del gran premio y por lo tanto la noche en que se daban cita en Montecarlo las mayores fortunas y las mujeres más espectaculares, ni aun por la excelencia de la cocina de un restaurante que tenía justa fama a todo lo largo y ancho de la Costa Azul, sino especialmente por el hecho de que la mesa estaba presidida por Naima Fonseca, cuya presencia bastaba para convertir cualquier rincón en una especie de sucursal del paraíso.

La espesa e inimitable sopa de pescado, el excelente vino, las variadas compotas, el café fuerte y aromático y el añejo coñac, servido todo ello a menos de tres metros de unas quietas aguas sobre las que se reflejaba la luna, invitaba a pensar que aquel era el único mundo que en verdad existía, y que el hambre, la miseria, la esclavitud, las guerras y los odios, no eran más que pura invención de mentes malintencionadas y enfermizas.

Risas, charlas, hombres y mujeres que parecían rezumar dinero por cada poro del cuerpo, sedas, joyas, estrellas de la pantalla llegadas del festival de cine que se estaba celebrando en la cercana Cannes, coches de lujo al otro lado de las enormes cristaleras; es decir, la más amplia sonrisa de la vida, para quien no quisiera ver más allá de esa amable sonrisa.

Y dominándolo todo, Naima Fonseca.

Siempre Naima Fonseca, cuyo rostro, cuyo cuerpo, cuyos cabellos y cuyo aroma parecían haberse convertido en la quintaesencia de todo cuanto de bueno pudiera ofrecer la vida.

Tras el café, y aprovechando un momento en que su marido se encontraba enfrascado en una compleja discusión de tipo técnico con uno de los pilotos de su escudería, la venezolana se volvió a Gaetano Derderian para musitar en tono confidencial:

—¿Recuerda que le recomendé que me eliminara de la lista de sospechosos? —Como el otro asintiera en silencio, añadió—: Pues ahora le recomiendo que vuelva a incluirme.

—¿Y eso por qué?

—Porque Romain ha renunciado a nuestro compromiso prematrimonial nombrándome su principal heredera. Si algo le ocurriera, yo me convertiría en la gran beneficiada.

—No creo que ese simple detalle cambie las cosas.

—¿Está seguro? ¿Tiene idea de cuántas escuelas, cuántos hospitales y cuántas casas de acogida se pueden construir con su fortuna?

—Supongo que muchas.

—Muchas, en efecto. Tantas que cualquier persona con una mínima inquietud por el sufrimiento ajeno no dudaría a la hora de plantearse si valdría la pena sacrificar una sola vida cuando con ello se puede hacer tanto bien a tanto desgraciado.

—Pero usted es su esposa y se supone que le quiere.

—Le quiero, en efecto. —Su sonrisa obligaba a estar más pendiente de su rostro que de sus palabras—. Pero no es bueno que el egoísmo nos nuble la razón. ¿Consideraría justificable un crimen que puede salvar tantas vidas?

Dejó la pregunta en el aire para volverse a Waffi Waad enfrascándose en una charla intrascendente, y dejando al brasileño más anonadado aún de lo que ya lo solía estar cuando se encontraba en su presencia.

Llegó incluso a dudar de que lo que había oído era cierto, y pasó el resto de la velada, hasta que regresaron al *Acuarius*, preguntándose si se trataba tan sólo de una broma de dudoso gusto, o si la hermosísima mujer había hablado en serio.

Poco después de la medianoche, y acomodados en la cubierta de popa del gigantesco yate, Romain Lacroix abrió una botella de Dom Perignon y alzó su copa para exclamar:

—¡Por las noticias, sean buenas o malas!

—Las hay buenas y malas.

—Primero las buenas.

—Las buenas son que pronto recuperará su Van Gogh —señaló Gaetano Derderian.

—Esa no es una buena noticia. ¡Es magnífica! ¿Y las malas?

Waffi Waad interrumpió con un gesto al pernambucano para rogar con una forzada sonrisa:

—Permíteme que sea yo quien se la dé, porque más que una mala noticia es una pregunta a la que quiero que me responda con absoluta sinceridad. —Se volvió al dueño del barco para inquirir con un tono desacostumbrado en él—: ¿Acaso sabías que la idea original de la desaladora del mar Muerto no era nuestra sino que se la robamos a una empresa española?

Romain Lacroix se quedó inmóvil con la copa en una mano y un enorme habano en la otra, y tras unos instantes de evidente desconcierto acertó a balbucear:

—¿De qué diablos estás hablando?

—De ese prodigioso «Río de la Paz» del que tanto nos vanagloriamos como la mayor obra de ingeniería de este siglo. ¿Sabías o no sabías que no se nos ocurrió a nosotros?

—¡No me jodas!

Instintivamente se volvió a su esposa que escuchaba en silencio como si intentara calibrar su reacción ante semejante revelación, y a Gaetano Derderian no le cupo la menor duda de que el todopoderoso magnate se sentía, tal vez por primera vez en mucho tiempo, absolutamente desolado.

—¡Dios santo! —exclamó al poco—. ¡No es posible!

—¿Quieres decir con eso que no sabías nada? —insistió tercamente el dubaití.

—¡Pero coño, Waffi! ¿Cómo iba a saberlo? Me conoces hace años. ¿Realmente me crees capaz de algo así?

—No —admitió su interlocutor—. Pero necesitaba escucharlo de tus propios labios.

El francés dejó la copa sobre la mesa, extendió la mano y aferró una de las de Naima Fonseca para inquirir casi suplicante:

—¿Tú me crees?

—¿Por qué no? —fue la respuesta—. Si Waffi, que es tu socio y te conoce hace mucho más tiempo que yo, te cree, no tengo ninguna razón para pensar que mientes.

—¿Y usted?

Gaetano Derderian se limitó a encogerse de hombros.

—No veo que existan motivos para mentir —replicó—. Nada sacaría con ello.

—Supongo que resulta absurdo que como presidente no tenga ni la menor idea de que algo tan condenable haya ocurrido en el seno de mi propia empresa, pero juro que así es. —Se volvió a Waffi Waad—. ¿Estás seguro de lo que has dicho?

—Él es el encargado de investigar y parece estarlo.

Romain Lacroix observó largamente al brasileño, tardó en hablar, pero cuando lo hizo su tono era de absoluta resignación:

—¡De acuerdo! —musitó—. Le contraté para que averiguara la verdad por mucho que me doliera, aunque nunca imaginé que pudiera dolerme tanto. Y ahora dígame: ¿quién ha hecho algo tan sucio?

—¿Y me lo pregunta? Imagino que conoce la respuesta tan bien como yo.

—¿Mathias Barriere? —Ante el leve ademán de asentimiento de su interlocutor, lanzó un profundo resoplido para negar una y otra vez con la cabeza como si todo aquello fuera en verdad superior a sus fuerzas y se negara a aceptarlo—. Quisiera poder decir que no le creo —señaló con voz ronca y casi como si le costara pronunciar las palabras—. Pero me temo que si se atreve a hacer semejante acusación debe ser porque está muy seguro.

—Bastante seguro —fue la respuesta—. Aún quedan algunos cabos sueltos, pero ya me han confirmado que sobornó a un ministro y a varios funcionarios con el fin de quitar de en medio a unos españoles que le habían presentado el proyecto al gobierno jordano.

—¿Y esos españoles no protestaron?

—Eso no lo sé. En realidad aún ni siquiera sabemos quiénes son. He dejado en Jordania a Indro Carnevalli, probablemente mi mejor hombre, intentando averiguarlo, y he alertado a mi oficina en Madrid para que los localicen donde quiera que se encuentren. No creo que tardemos más de un par de días en saber quiénes son y dónde están.

Romain Lacroix permaneció un largo rato meditabundo con la cabeza gacha y aún aferrado a la mano de su esposa. Al rato la soltó, se apoderó de la copa, bebió hasta apurarla y tras girar la vista alrededor como si necesitara ayuda, suplicó:

—Averigüe quiénes son y les compensaré por los perjuicios que hayamos podido causarles. Nunca he presumido de santo, este es un mundo muy duro, los negocios son los negocios, y con frecuencia he jodido a mucha gente, pero le aseguro que nunca me he mezclado en algo así y no pienso aceptar una política de hechos consumados. —Se volvió de nuevo a su esposa para señalar—: Lo siento, querida. Siento que te hayas enterado de algo tan bajo, pero te repito que no sabía nada.

—Y yo te repito que te creo.

—¡Gracias! Pero lo que ahora me preocupa es por qué razón Mathias hizo algo así. ¿Por qué no se limitó a negociar con esos españoles? Seguro que habríamos podido llegar a un acuerdo.

—Si tú que le conocías desde niño no lo sabes, no creo que nadie más pueda saberlo —le hizo notar la venezolana con evidente lógica—. No nos caíamos bien, y nunca crucé con él más de media docena de palabras.

—¿Qué quieres decir con eso de que no os caíais bien?

—¡Oh, vamos querido, no seas niño! —protestó ella en un tono inhabitual en quien jamás parecía perder la compostura—. Sabes perfectamente que Mathias Barriere me aborrecía.

—No me explico por qué tendría que aborrecerte, era mi mejor amigo y sabía perfectamente que yo te adoraba.

—¡Tan vivo como eres para algunas cosas y tan «pendejo» para otras! —le espetó Naima Fonseca sin la más mínima consideración—. Tu «querido amigo» Mathias Barriere sabía que desde el mismo día en que nos casamos dejaba de ejercer sobre ti la influencia que siempre había ejercido. Comprendió que en el fondo yo soy una mujer «muy arrecha», como dicen en mi tierra, y a la que no podría manejarme como había manejado siempre a la pobre Madeleine, que vivía en otra galaxia. Nunca hemos hablado del tema, y nunca deberíamos haber hablado, ya que está muerto, pero ahora que ha surgido el tema te aclararé que tú siempre fuiste el jefe, pero en realidad él se consideraba tu dueño.

—No sé de qué me hablas.

—Sí que lo sabes —le contradijo su esposa sin apenas inmutarse—. Quizá esta debería ser una discusión privada, pero más vale aclarar las cosas sin tapujos. A ti te consta que Mathias Barriere era un mal bicho, pero te resultaba muy cómodo que te fuera allanando el camino. El problema estriba en que cuando haces dejadez de tus funciones acaban ocurriendo estas cosas.

—¿Quieres decir con eso que yo tengo la culpa?

—No por acción, pero sí por omisión, puesto que tu deber como presidente era atarle más corto ya que conocías sus mañas desde que aún se meaba en los pantalones.

—En eso puede que tengas razón.

—No es que pueda, es que la tengo.

Romain Lacroix observó a Gaetano Derderian y a Waffi Waad que habían asistido en silencio a la incómoda conversación, y al fin no pudo por menos que hacer un significativo gesto con la cabeza señalando de medio lado a su mujer al tiempo que amagaba una sonrisa:

—La mayoría de la gente cree que es tonta, pero lo cierto es que cuando yo voy, Naima ya está de vuelta. Y tiene razón, maldita sea mi alma. Tiene razón porque debo admitir que ciertamente Mathias era un tipo demasiado conflictivo y nunca se podía saber qué era lo que en verdad pensaba.

—Tengo la impresión que en lo que siempre pensaba era en ser tú —le hizo notar el dubaití.

—¡Qué tontería! —protestó su amigo—. Aún no levantábamos dos palmos del suelo y ya éramos totalmente diferentes.

—El hecho de ser diferente no excluye el deseo de ser igual, sino que, por el contrario, puede aumentarlo. Pero estoy de acuerdo con Naima y sospecho que te resultaba muy cómodo que jugara a Maquiavelo mientras tú jugabas a ser el príncipe azul. El problema está en que ha llegado el momento de pagar las consecuencias.

—Las pagaré si es culpa mía. Insisto en que compensaremos a esos españoles por todo el mal que hayamos podido hacerles.

—Me temo que no es cuestión de dinero —intervino Gaetano Derderian—. Entra dentro de lo posible que lo que pudiera haber hecho Barriere en su momento no se arregle con un cheque por muchos ceros que tenga.

—¿Insinúa que esos españoles pueden estar detrás de cuanto ha estado ocurriendo en estos últimos tiempos?

—Aún es pronto para decidirlo —respondió sin perder la calma el brasileño—. Pero no puedo por menos que preguntarme cómo reaccionaría yo si alguien muy poderoso me robara una brillante idea y fuera por el mundo alardeando de que la va a convertir en la mayor obra de ingeniería de este siglo.

—Intentaría vengarme a toda costa.

—Lógico, ¿no le parece?

—Pero es que yo no tengo culpa alguna.

—Pero ellos no lo saben. Si las cosas son como imagino, que de momento tan sólo estoy elucubrando sobre algo que tal vez no se ajuste a la verdad, lo normal es que los perjudicados opinen que el principal responsable es la cabeza visible, ya que ignoran, como lo ignorábamos todos, que Mathias Barriere obraba por su cuenta.

—Pues procure que sepan la verdad sin reparar en gastos. Les ofreceré públicamente disculpas, les otorgaré toda la gloria de la idea y les pagaré lo que me pidan.

—Todo eso estaría muy bien si no fuera ya demasiado tarde. ¿Quién resucitará a los muertos y quién le devolverá su marido a Shireen Shami?

—No puedo hacerme responsable de los actos de un muerto por muy amigo y socio que haya sido —señaló el francés—. Lo único que puedo hacer es intentar enmendar el entuerto en la medida de mis fuerzas. —Se irguió casi de un salto—. Y ahora me voy a dormir —dijo—. Mañana me espera un día muy ajetreado.

La razón le asistía, porque el día siguiente, último domingo de mayo, solía ser desde medio siglo atrás el más ajetreado en la vida de los monegascos.

La luminosa y por lo general tranquila ciudad colgada sobre el mar, en la que nadie se atrevía a hacer sonar el claxon de un automóvil o circular en una moto de escape libre, se transformaba por unas horas en un lugar caótico, ruidoso, maloliente y peligroso, puesto que una treintena de rugientes bólidos que impregnaban la atmósfera de un pestilente olor a queroseno se dedicaban a perseguirse, desbocados, por entre unas estrechas y sinuosas callejuelas concebidas para el tranquilo paseo vespertino de una pareja de ancianos millonarios y no para intentar adelantar a un vehículo a más de doscientos kilómetros por hora.

Casi desde el amanecer Romain Lacroix se había enfundado en un vistoso mono de mecánico que lucía en la espalda el conocido logotipo *A&O* para trasladarse a la zona de boxes donde se comportaba como un niño curioso con un nuevo juguete, sin darse cuenta de que en realidad lo único que hacía era molestar a los auténticos mecánicos que iban de un lado a otro ultimando los preparativos de la difícil carrera.

Resultaba tan incordio como un grano en el culo, pero no quedaba más remedio que aguantarlo, pues para algo era el dueño.

Media hora antes de que se diera la señal de salida, cruzó la avenida marítima, subió a su fastuoso yate, se dio una ducha, comió algo a trompicones, y tras besar a su esposa que tomaba el sol en la cubierta superior, regresó a su puesto a toda prisa, tal vez convencido de que su presencia en la línea de meta resultaba imprescindible.

Cuando ya el ruido se volvió insoportable y podría creerse que sobre los cielos del principado revoloteaba un enjambre de monstruosas abejas enfurecidas, Gaetano Derderian hizo su aparición sobre cubierta como quien surge de lo más profundo de una tumba.

—¡No lo soporto! —masculló—. Este estruendo me mata.

Naima Fonseca le hizo un significativo gesto para que se aproximara y acomodara a su lado en la hamaca vecina, al tiempo que señalaba:

—¡Tómeselo con calma! Una vez al año un poco de ruido no hace daño.

—¿Un poco de ruido? —se escandalizó el pernambucano—. Esto es cosa de locos; como el «sambódromo» del carnaval de Río de Janeiro, pero sin mulatas.

—El año en que salí elegida me invitaron al carnaval de Río, y lo cierto es que también se me antojó cosa de locos.

—¿Qué se siente cuando un jurado decide que es la mujer más hermosa del mundo?

La venezolana se volvió a mirarle de medio lado como si le costara aceptar que había hecho tal pregunta.

—¿Quién puede creerse semejante tontería? —replicó—. Tres miembros del jurado no votaron por mí, lo que viene a significar que ni siquiera entre un grupo tan pequeño me consideraban la mejor. No es más que un negocio y una soberana estupidez, aunque reconozco que me sacó de la miseria y me sirvió de mucho. Sin aquel escaparate tal vez a estas alturas no sería más que una de las tantas busconas que merodean por la avenida Urdaneta.

—¿Cómo puede decir eso? —protestó con inusitada vehemencia Gaetano Derderian—. ¡Una mujer como usted…!

Ella le interrumpió alzando la mano con el dedo índice hacia arriba.

—Las esquinas de Caracas están llenas de mujeres como yo. Y las de cientos de ciudades de todo el mundo. Muchachas analfabetas que al llegar a la pubertad ya han sido manoseadas e incluso violadas por docenas de hombres, y a las que nadie les ofrece la oportunidad de abandonar esas esquinas. Y no es justo. No es justo que por el simple hecho de que un día diera la casualidad de que le limpié el parabrisas a un fotógrafo borracho, yo esté ahora aquí y ellas continúen allí.

—¿Fue así como empezó todo? ¿Por un fotógrafo borracho?

—¡Exactamente! Me sacó de las calles cuando debía de tener unos doce años, aunque no lo sé exactamente, puesto que nunca he sabido mi verdadera edad. Nadie me registró al nacer.

—¡No puedo creerlo!

—Se nota que nunca ha estado en los «ranchitos» de los cerros de Caracas. Allí la gente nace y muere sin que se tenga constancia de que ha nacido o ha muerto. Siempre me he llamado Naima, pero mi padre, que por lo que me contaron era un húngaro que murió alcoholizado y al que ni siquiera conocí, nunca quiso darme su apellido. Lo de Fonseca vino mucho después, cuando aquel fotógrafo, igualmente alcohólico, decidió adoptarme el día en que mi madre murió.

—Un hermoso gesto por su parte.

—Más hermoso hubiera sido casarse puesto que ya era su amante, pero alegó que si nos casábamos nunca podría presentarme al concurso, que era lo que en verdad le interesaba. —La increíble mujer hizo un amplio gesto señalando la ciudad que se extendía ante ellos y el puerto repleto de lujosos navíos—. Y ahora estoy aquí, tomando el sol en el centro del mundo sobre la cubierta de un yate con piscina. —Su tono podría interpretarse como de amargura o de burla al inquirir—: ¿Acaso existe algo más pretencioso y ridículo que un yate con piscina?

Gaetano Derderian la observó ensimismado, convencido como estaba de que cuanto más la miraba y más la escuchaba más se enamoraba, puesto que aquella era una mujer que tenía no sólo unas facciones perfectas y un cuerpo escultural, sino en especial una mente rebosante de fascinantes ideas que le desconcertaban.

—¿Realmente eso es lo que opina del *Acuarius*? —inquirió al fin sin apartar los ojos de sus ojos—. ¿Que es un yate pretencioso y ridículo?

—¡Desde luego! Con lo que gasta en combustible en un solo día se alimentaría a un centenar de niños, y con lo que va a despilfarrar Romain en una absurda carrera en la que no tiene la más remota oportunidad de ganar, o tan siquiera de que uno de sus coches atraviese la meta, otros cien.

—Se trata de su dinero.

—¡Se equivoca! No se trata de su dinero, sino del esfuerzo de miles de personas que han trabajado muy duro y cobrando una miseria para que su sudor se derrame sobre la arena de una playa. —Le miró de frente y en sus ojos brillaba una luz extraña, casi de fanatismo, al inquirir—: ¿En verdad le sorprende que me haya planteado la posibilidad de matar a mi marido?

—¿Pero cómo puede decir eso? —se escandalizó el pernambucano—. ¿Acaso ha perdido el juicio?

—Nunca podría perderlo, puesto que nunca lo tuve —replicó la venezolana con desconcertante tranquilidad—. Tener juicio significa tener capacidad de raciocinio, saber diferenciar entre las cosas, o poder determinar dónde está el bien y dónde el mal. Y resulta evidente que ese no debe de ser mi caso, puesto que me sigue pareciendo más lógico y honrado matar al hombre al que amo, que dejar morir de hambre a cientos de niños a los que no conozco.

—Si eso es lo que piensa, ¿por qué no lo abandona?

—¿A Romain? ¿Y qué sacaría con ello? Sin su dinero no estaría en condiciones de aliviar las miserias de nadie.

—Lo supongo. Pero también supongo que convivir con una persona a la que se desea matar debe resultar insoportable.

—Pero es que yo no deseo matarle —replicó Naima Fonseca con aquella sencilla naturalidad que desarmaba a su interlocutor—. Preferiría quitarle su dinero sin hacerle daño, porque ya le he dicho que le quiero, y podríamos ser muy felices sin tanto estúpido yate ni tanto palacio en el que hasta para ir a mear necesitas un plano.

Ante el azoramiento de su acompañante, insistió:

—¡No hace falta que se ruborice! Las cosas son así. Romain se levanta a las seis de la mañana, hace media hora de gimnasia y se pone a trabajar como un loco hasta casi la medianoche, pese a que con la centésima parte de lo que tiene nos bastaría para vivir como reyes. —Sonrió de un modo que el Principado de Mónaco en pleno pareció desaparecer tras aquellos níveos dientes—. Usted, que tiene fama de inteligente, ¿conoce algún modo de matarle o simplemente quitarle su dinero sin que me metan en la cárcel?

—¿Por qué disfruta burlándose de mí de esta manera? —protestó Gaetano Derderian sinceramente dolido.

—¿A qué se refiere?

—A que esta es, sin lugar a dudas, la conversación más surrealista que he tenido en mi vida.

—¿Y eso por qué?

—Porque todo cuanto plantea no tiene pies ni cabeza.

Naima Fonseca frunció el ceño, observó a su acompañante como si quisiera taladrarle con la mirada, y al fin inquirió con innegable extrañeza:

—¿O sea que para usted resulta lógico que alguien afirme que le gustaría tener mucho más dinero aun a sabiendas de que nunca conseguirá gastárselo, pero no le parece lógico que yo le asegure que me gustaría tener menos dinero porque el hecho de ver cómo se derrocha inútilmente me impide ser feliz? La verdad es que no lo entiendo.

—¡Visto de esa manera!

—¿Y de qué otra manera puede verse?

—Supongo que de muchas.

—¿Como cuáles? Romain acaba de invertir treinta millones de dólares en ese jugador de fútbol que está ahora en la piscina, y que ni siquiera ha sido capaz de marcar un gol. Y por si eso no bastara me ha regalado un collar de esmeraldas valorado en cuatro millones de dólares. Dígame… Si me lo pusiera, ¿estaría más guapa o más fea?

—No creo que nada en este mundo consiguiera que estuviera más guapa de lo que lo está normalmente, pero lo cierto es que no tengo ni la menor idea.

—Pero yo sí. Estoy convencida de que si algún día me pusiera ese collar y me mirara a un espejo me encontraría horrenda, puesto que estaría viendo a una salvaje mentecata que renunció a sus plumas de papagayo a cambio de colgarse al cuello unas cuentas de colores.

—Llamar «cuentas de colores» a un collar de cuatro millones de dólares resulta un poco fuerte, ¿no le parece?

—Si ni se comen, ni se beben, ni curan enfermedades, no son más que pedruscos.

—¿Y su marido qué opina?

—¿Sobre qué?

—Sobre el hecho de haberse gastado tanto dinero en un collar y que usted no se lo ponga.

—Tampoco me cuelgo al cuello uno de sus bólidos, ni un Van Gogh, ni a un jugador de fútbol. Me ha comprado el collar porque se supone que la mujer de un magnate de las finanzas debe tener un collar de esmeraldas, no porque lo necesite, puesto que nadie «necesita» un puñetero collar de esmeraldas.

—Cierto, pero no ha respondido a mi pregunta: ¿qué opina?

—Si quiere que le diga la verdad, creo que en el fondo le decepcionaría que me lo pusiera, de la misma forma que le decepcionaría saber que no me estoy planteando matarle con el fin de repartir su dinero entre los pobres.

El brasileño lanzó un bufido, se puso en pie y dio varios pasos por la pulida cubierta del navío como si le acabaran de derramar plomo derretido por el cuello.

—¡Pero bueno! —exclamó—. ¡Esto es el colmo! ¿Intenta hacerme creer que su esposo sospecha que trata de asesinarle?

—¡No! —fue la firme respuesta—. No es que lo sospeche. Es que lo sabe.

—¿Y cómo es que lo sabe?

—Porque el día que cambió el testamento le advertí que la tentación era muy grande y que no me hacía responsable de mis actos.

—¿Y qué respondió?

—Que lo entendía, pero que estaba dispuesto a correr el riesgo siempre que le jurara que si algún día decidía matarle no sería porque hubiera dejado de quererle, sino únicamente por su dinero.

—Empiezo a sospechar que están mucho más locos de lo que imaginaba —se lamentó el brasileño—. ¡En menudo lío me he metido!

—La locura no es más que una forma de ver las cosas de un modo diferente a como las ven los demás —sentenció la venezolana—. A menudo sueño que me encuentro aún en la avenida Urdaneta esperando que alguien me dé unos bolívares con los que matar el hambre, y cuando me despierto, sudando frío, me maldigo a mí misma al descubrir que estoy durmiendo en sábanas de seda. —Agitó su increíble melena en un gesto que denotaba su profundo pesar—. No pretendo que ni usted ni nadie entienda lo que siento, pero así es como yo veo las cosas: mi país era uno de los más ricos del mundo hasta que entre unos cuantos políticos y unas cuantas multinacionales «se lo robaron» hundiéndonos en la miseria, el caos y la desesperación. No creo que nadie pueda echarle en cara a una niña que a los catorce años ya era la amante de un fotógrafo que cuando se emborrachaba se la prestaba a sus amigos como quien presta una moto, que se obsesione con la idea de que puede evitar, por los medios que sea, que a otras niñas semejantes les pueda ocurrir lo mismo.

Romain Lacroix organizó una de sus famosas fiestas a bordo del *Acuarius*, esta vez con la disculpa de que uno de sus bólidos había atravesado en octavo lugar la meta de llegada, algo de lo que no existían precedentes en la historia de su flamante y ruinosa escudería.

—¡Casi alcanzamos un punto! —exclamaba alborozado—. Con un poco de suerte lo hubiésemos logrado.

—Te costará veinte millones más, pero al fin lo conseguirás —sentenció su esposa—. Lo conseguirás porque no se entiende que alguien pueda vivir sin que sus coches hayan conseguido ni tan siquiera un punto a lo largo de toda la temporada.

Dicho eso se retiró a su camarote permitiendo que docenas de desconocidos comieran, bebieran y bailaran hasta cansarse, por lo que Gaetano Derderian Guimeraes acabó por ir a tumbarse sobre la hamaca que la venezolana había ocupado esa misma mañana.

La colchoneta aún conservaba su olor.

Las miles de luces de la ciudad de los multimillonarios, los gallardetes de los engalanados yates, la música, las voces y las risas se esfumaban ante la persistencia de un aroma que se clavaba como un estilete en el cerebro del atribulado brasileño.

Aquella noche odió a muerte a Romain Lacroix. Lo odió como nunca había odiado a nadie.

Le vio pasar, tambaleándose, cantando a voz en grito, riendo a carcajadas y enfundado aún en su grasiento mono, tan orgulloso como si hubiera ganado la carrera conduciendo él mismo el monoplaza, y por un instante experimentó el casi irrefrenable deseo de empujarle para que se precipitara al mar y desapareciera para siempre en sus profundidades.

Y es que tal vez por primera vez en su vida Gaetano Derderian tomó plena conciencia de cuál era en realidad el auténtico significado de las cosas, aunque no se sentía con capacidad de discernir si el mérito debía atribuírselo a sí mismo o a la indudable influencia que estaba ejerciendo sobre él una mujer que no se parecía en nada a cuantas hubiera conocido hasta el presente.

Por unas décimas de segundo pasó por su mente la inquietante idea de que ciertamente el francés valía más muerto que vivo.

Nadie podía negarle a Romain Lacroix el mérito de haber sabido amasar una fabulosa fortuna, pero tal como su propia esposa aseguraba, dicha fortuna se cimentaba en parte sobre la explotación de millones de seres humanos, y por lo tanto no tenía ningún derecho a utilizarla únicamente en satisfacer estúpidos caprichos personales.

Para ciertas personas, el dinero, cuando se tiene en exceso, pasa a convertirse en algo semejante a las fichas de plástico de los casinos, que al cabo de un rato de rodar por las mesas parecen haber perdido su auténtico valor.

Si el francés confiaba en que una sola de las operaciones que tenía entre manos —el tan traído y llevado «Río de la Paz»— generaría un volumen de negocios superior a los dos mil millones de dólares anuales, no era de extrañar que considerase una minucia gastarse treinta en un jugador de fútbol, pero aun así esa seguía constituyendo una suma con la que se podía obtener la libertad de todos los niños esclavizados en las plantaciones de cacao africanas.

Emplear ese dinero en que un semianalfabeto le propinara patadas a un balón, podría equipararse a aceptar que le diera patadas a las cabezas de esos niños.

Tumbado en aquella hamaca, y tal vez influenciado por el aroma de la mujer que amaba y que aún flotaba en el ambiente, Gaetano Derderian descubrió que sentía miedo de sí mismo al comprobar que en lo más profundo de su alma empezaba a nacer un peligroso inconformista.

Y es que se veía obligado a reconocer que los platillos de la balanza se descompensaban demasiado; de un lado se encontraba un hombre muy feliz con sus incontables millones; del otro, millones de hombres muy infelices con sus incontables padecimientos.

Cierto era que sin Romain Lacroix no existiría ese dinero, pero cierto también que sin esos hombres no existiría Romain Lacroix.

—Si no te conociera afirmaría que te comportas como un amante celoso o un comunista de salón —masculló poco antes de quedarse dormido—. Pero como te conozco, admitiré que lo que ocurre es que Naima Fonseca te ha idiotizado.

Al despertar, ya a plena luz del día, advirtió que algún solícito y compasivo miembro de la tripulación le había arropado con una gruesa manta, al igual que habían hecho con media docena de borrachos que roncaban en las hamacas vecinas, pese a lo cual advirtió que la humedad del mar le había calado hasta los huesos, por lo que se encerró en su camarote incapaz de dar un solo paso sin llevarse las manos a los maltratados riñones hasta que Waffi Waad acudió en su busca.

—¡Ven! —pidió—. Quiero que conozcas a un viejo y muy querido amigo que nos puede aclarar algunas cosas.

Le siguió a duras penas, lanzando lamentos y reniegos por el dolor de espalda, hasta el no muy lejano punto en que se encontraba atracado un yate casi tan espectacular como el *Acuarius*.

Su orondo propietario, el jeque Oman Tlass, que vestía una multicolor y espantosa camisa de flores, unos inconcebibles pantalones a cuadros y unas sudadas babuchas, más parecía un panadero del medio oeste americano en vacaciones que un miembro de la familia real saudita, pese a lo cual el pernambucano no mostró excesiva sorpresa, puesto que hacía ya mucho tiempo que había llegado a la conclusión de que cada vez más ejecutivos de medio pelo usaban costosos trajes de Valentino y más auténticos multimillonarios se compraban la ropa en grandes almacenes.

Aunque las ropas del jeque Oman Tlass procedían probablemente de un mercadillo callejero de cualquier puerto olvidado.

Pero se sentía muy a gusto dentro de ellas, de eso no cabía la menor duda.

Repantigado en un sillón que no paraba de mover en todas direcciones por medio de un minúsculo mando que manejaba con la soltura que confiere una infinita práctica, y fumando continuamente de un narguile de plata maciza, al príncipe saudí se le podría considerar extraído de las páginas de un cómic hasta que comenzaba a hablar de un modo tan inteligente y exquisito, y en un tono tan mesurado, que se llegaba de inmediato a la conclusión de que tras tan desenfadada apariencia se ocultaba un hombre de extraordinaria educación y mente muy aguda.

Tras algunos ligeros comentarios sobre las incidencias de la carrera del día anterior y un par de referencias a la situación de las bolsas y el precio del petróleo que como casi siempre tendía al alza, hizo girar una vez más su «montura» para encararse directamente a Gaetano Derderian.

—Mi buen amigo Waffi —dijo—, a quien le debo haber aprobado las matemáticas en la universidad, aunque él siempre se esfuerza en intentar olvidar que me debe haber aprobado la química, me ha contado algo sobre los problemas que al parecer tanto les preocupan.

El brasileño se volvió interrogativamente al dubaití que se limitó a señalar:

—Se refiere al tema de los sabotajes. Oman es un experto en ellos puesto que los sufre casi a diario en sus barcos, sus refinerías y sus oleoductos.

—En efecto —admitió el otro—. Por desgracia las pérdidas, tanto en vidas humanas como económicas, que nos están infligiendo esos malditos terroristas a los que el diablo se lleve, me obligan a veces a perder el sueño, y lo cierto es que siempre he sido un hombre de sueño muy pesado. Son como las langostas que nacen de la nada para arrasarlo todo, y luego se esfuman como el humo de los incendios que provocan.

—¿Por qué?

—¿Por qué, qué? —repitió el hombre de la horrenda camisa para responderse a sí mismo de inmediato—. ¿Por qué nos atacan? No lo sé. O mejor dicho, sí lo sé, pero me niego a aceptarlo.

Aguardó unos instantes, comprendió que quienes le escuchaban no parecían haber entendido tan inconsistentes explicaciones, y tras dar una larga chupada a la boquilla de su narguile, añadió en un tono más pausado:

—Cada caso es distinto, porque en cada caso alguien, casi nunca sabemos quién, reivindica algo que con frecuencia nada tiene que ver conmigo. Tengo refinerías en treinta países y buques que navegan por casi todos los mares, y ese es al parecer el motivo por el que cada vez que alguien decide protestar contra el gobierno de uno de esos países no suele tener mejor idea que ponerle una bomba a una de mis refinerías, destrozar uno de mis oleoductos o intentar hundir uno de mis petroleros. ¿Y qué culpa tengo yo?

—Supongo que lo harán por el hecho de que colabora con esos gobiernos —comentó el brasileño por decir algo.

—¿Y qué ocurriría si no colaborara? —argumentó su interlocutor en el tono de quien se niega a aceptar semejante posibilidad—. No tendrían gasolina para sus automóviles o combustible para sus centrales eléctricas y sus calefacciones.

—Eso es muy cierto.

—¡Naturalmente que lo es! No pueden vivir sin mí, pero pretenden aniquilarme... ¿Quién lo entiende? Por eso le repito que me niego a aceptar que tengan que convertirme en eterna víctima de sus reivindicaciones personales, sean estas justas o injustas. —Se encogió de hombros al tiempo que inclinaba hacia atrás su butaca para mirar directamente al techo y añadir con aire de sufrida resignación—: Pero así es, y ese constante castigo es lo que ha acabado por convertirme en un experto en el campo del sabotaje y el terrorismo, sea este del signo que sea.

—¿Y qué opina del tema que nos ocupa? —quiso saber Gaetano Derderian—. ¿Quién puede estar detrás de los atentados contra la desaladora de Jordania?

—Los terroristas.

La respuesta fue tan escueta, y al propio tiempo tan obvia, que por unos instantes el pernambucano no supo qué decir ni cómo reaccionar.

—¿Los terroristas? —repitió al fin—. ¿Qué clase de terroristas?

—Tan sólo existe una clase de terroristas, amigo mío, métase eso en la cabeza de una vez por todas. Todo aquel que es capaz de atentar violentamente contra algo o alguien, no es más que un terrorista, sea cual sea la razón que esgrima para hacerlo, puesto que desde el momento mismo en que emplea la fuerza, todas sus razones dejan de tener validez.

—En ocasiones no les queda otra salida. Los pueblos oprimidos buscan…

—¡Un momento! —le interrumpió el saudí alzando la mano—. No estoy discutiendo que estén o no en su derecho, puesto que únicamente cada cual está en disposición de decidir cuáles son esos derechos. Para un minero ucraniano se limitan a que le den una pastilla de jabón y una toalla limpia de vez en cuando, mientras que los obreros franceses exigen trabajar cinco días a la semana y un mes de vacaciones pagadas. Algunos terroristas exigen la independencia de una determinada región y otros que se les permita hablar en su dialecto.

—Lógico, ¿no le parece? Cada cual defiende sus propios intereses, que no tienen por qué coincidir con los del vecino.

—¡De acuerdo! Todo eso está muy bien y yo lo respeto, pero si cada vez que pretendo montar una refinería en alguna parte tengo que empezar a investigar por qué razón la gente de aquel lugar protesta o protestará en el futuro, y cuándo dichas protestas acabarán en bombas, jamás montaría ninguna.

—Se supone que algún riesgo tiene que correr. No todo tiene por qué ser siempre beneficios.

—Y de hecho los corro aun a sabiendas de que voy a ser el único perjudicado en una acción estéril, puesto que aún no conozco ningún caso en el que un acto terrorista haya solucionado ningún problema. Por el contrario, contribuyen a empeorarlos.

Wadi Waaf, que se había limitado a escuchar en silencio porque conocía de antiguo la mayor parte de los argumentos de su compañero de universidad, alzó la mano en ademán que evidentemente pretendía tranquilizar los ánimos o tal vez concretar el tema en su justa medida.

—No creo que sea el momento de discutir la razón o la sinrazón del terrorismo —puntualizó—. El hecho es que está ahí y a todos nos afecta de un modo muy especial. La pregunta clave es: quiénes pueden ser los que atacan la desaladora, y como consecuencia de ello, qué podemos hacer para evitarlo.

El jeque Oman Tlass dejó de fumar y se dedicó a enrollar con habilidad la boquilla de su narguile, empleando para ello largo tiempo, como si necesitara meditar a fondo la respuesta. Por último, señaló con una adusta seriedad que contrastaba con su frívola manera de vestirse:

—Esa pregunta no tiene respuesta, puesto que al igual que la economía mundial ha degenerado hacia nuevas fórmulas de comportamiento en las que intereses de muy distinto tipo se entremezclan conformando una maraña de empresas imposible de comprender para el profano, el terrorismo se está «globalizando» de igual modo, hasta el punto de que en ocasiones en una determinada acción violenta colaboran miembros de Hamas, Sendero Luminoso, ETA, IRA, o incluso los extremistas judíos del Kach.

—¿Cómo puede meterlos a todos en el mismo saco cuando se supone que sus objetivos son tan diferentes?

—Porque hemos llegado a la conclusión de que a ellos no les importa ser «tan diferentes» entre sí. Cuando un miembro del IRA irlandés enseña a los guerrilleros colombianos a fabricar «coches bomba», no les pregunta dónde los van a colocar, y cuando un «montonero» oculta a un activista de la Yihad Islámica no le preocupa que al salir de su casa haga volar una sinagoga. Se ayudan porque conforman una especie de gigantesca fraternidad en la que su único vínculo común es que se oponen a algo, sea lo que sea, esgrimiendo la única razón del terror y la violencia.

—Cuesta admitir que personas de distintas razas, distintas religiones y distintas ideologías puedan llegar a ponerse de acuerdo cuando no persiguen un mismo objetivo —señaló convencido de lo que decía el brasileño—. Se me antoja absurdo.

—¿Y qué tiene de absurdo? —replicó su interlocutor con una burlona sonrisa—. Yo hago negocios con chinos comunistas, católicos ultranacionalistas o kurdos separatistas, porque en el fondo lo único que me mueve es un claro interés económico.

—¡Eso es distinto!

—No lo crea. Tenga en cuenta que por cada terrorista que persigue un ideal, nacen tres aprovechados que no son más que drogadictos o meros delincuentes que han convertido ese terrorismo en una lucrativa profesión en la que se suda menos que en la cantera o la fábrica.

—¿Está seguro de eso?

—¡No!

—¿Y eso?

—Quien afirme que está seguro de algo con respecto a los terroristas, miente, puesto que su principal peligro estriba en que son absolutamente imprevisibles. Por más esfuerzos que hagamos y más dinero que repartamos tratando de obtener una información plenamente fiable, rara vez conseguimos el resultado apetecido.

—¿Y qué opinan de ello los servicios secretos occidentales?

—¿Y qué quiere que opinen de algo que no pueden detectar con sus estaciones de radar, fotografiar con sus satélites o interceptar con sus escuchas telefónicas? —El estrafalario saudita abandonó su sillón, se aproximó a la pared lateral que aparecía cubierta por un inmenso mapamundi en el que banderas de colores marcaban el punto en que se encontraban en esos momentos cada uno de sus barcos, y tras observarlo largo rato, comentó sin volverse—: A menudo me asalta la impresión de que el pueblo americano vive obsesionado por la idea de que, por el hecho de haber derrotado al Japón por medio de bombas atómicas, la ira del Señor hará que algún día sufran idéntico castigo.

—¿Cómo dice?

—Digo que el terror atómico es su gran enemigo, y lo peor del caso estriba en que ciertos dirigentes y algunos empresarios sin escrúpulos se preocupan de avivarlo puesto que de esa manera pueden invertir sumas fabulosas en tratar de impedir algo, que si ocurriera sería inevitable.

—Curiosa teoría —no pudo por menos que reconocer el brasileño.

—Pero en absoluto descabellada —intervino el siempre atento Waffi Waad que asistía a la conversación casi como un espectador—. Nosotros estudiábamos en Boston, y admito que durante años la prensa, la radio, la televisión, el cine e incluso la literatura americana supuestamente más seria, parecía no tener otra fuente de inspiración que la dichosa amenaza atómica. Hasta que no hicieron su aparición en el horizonte la guerra de Vietnam, y años más tarde el problema del sida, podría creerse que nadie corría peligro de morir a no ser que acabara desintegrado.

—Como era de esperar —añadió Oman Tlass volviéndose ahora a mirarles de frente—. Y dado que cada cual se protege de aquello ante lo que se siente vulnerable, los americanos se decantaron hacia un tipo de defensa centrado en la espera del apocalipsis nuclear, mientras que nosotros, los sauditas, lo que nos preocupa es que nos vuelen los oleoductos y las refinerías, intentamos protegernos del enemigo invisible. Por eso yo sé mucho más sobre terrorismo de lo que pueda saber el director de la CIA.

—Pero no sabe quién sabotea el «Río de la Paz», ni cómo evitarlo.

—Admito que no tengo ni la menor idea, aunque personalmente me inclino por la teoría de que se trata de los incondicionales de un Ariel Sharon al que la palabra «paz» saca de quicio —fue la sincera respuesta—. Tenemos noticias acerca de un próximo atentado a enorme escala en el que por desgracia parecen estar implicados algunos de nuestros conciudadanos, pero eso es todo cuanto hemos podido averiguar.

—¿Qué tipo de atentado?

—Se especula acerca de una especie de «Juicio

Final» que cambiará la faz del mundo, pero por desgracia no sabemos cómo ocurrirá, cuándo, ni dónde.

—¿Al decir conciudadanos se refiere al famoso Osama Bin Laden? —quiso saber Gaetano Derderian.

—Ese entre otros —admitió el jeque—. Tanto Waffi como yo conocemos muy bien a Osama, puesto que coincidimos un par de veranos en Marbella y es primo de mi primera esposa. —El hombre de la inenarrable camisa lanzó un hondo suspiro con el que tal vez intentaba expresar la profundidad de su desconcierto—. Ese mismo conocimiento; saber que un hombre culto, inteligente e inmensamente rico, que podría disfrutar de la vida, e incluso repartir su fortuna entre los más desfavorecidos si ese fuera su deseo, elige, no obstante, vivir como una fiera acosada en el interior de una cueva y obsesionado por matar inocentes, a sabiendas de que le pueden asesinar en cualquier momento, me reafirma en mi idea de que nadie entenderá jamás el fenómeno terrorista.

—Por lo que he oído se trata de un fanático iluminado.

—Esa es una explicación demasiado simple que no me sirve. Osama posee una mente privilegiada que le permitía sacar matrículas de honor cuando Waffi o yo apenas conseguíamos aprobar a duras penas algunas asignaturas. De hecho continúa siendo un genio de las finanzas, y me niego a aceptar que un cerebro como el suyo pueda enfermarse tan sólo en una parte. Hay algo más que se escapa a mi comprensión, y no le niego que ello me produce un profundo desasosiego, puesto que demuestra que el terrorismo es como un cáncer que ataca a las personas cualquiera que sea su raza, religión, edad o condición social.

—¿Y eso le aterra?

—¿No le aterra a usted el cáncer? —fue la rápida respuesta—. Recuerdo que hace unos quince años ocurrió algo de lo que muy poca gente tiene conocimiento, pero que también podría haber cambiado la faz del mundo y que a mí me perjudicó de modo muy concreto; me refiero al chantaje terrorista al canal de Panamá.

—¿Un chantaje al canal de Panamá? —inquirió un sorprendido Waffi Waad—. Nunca me habías hablado de eso.

—Porque cuantos nos vimos implicados en el tema juramos silenciarlo para evitar que otros hijos de puta volvieran a intentarlo. Ten en cuenta que ese canal es la única puerta que existe entre dos océanos y que por ella cruzan diariamente docenas de barcos.

—Eso lo sé. La mayor parte de nuestros cruceros atraviesa por ese canal.

—Pero probablemente no sabes que cada barco pagaba en aquel tiempo un peaje de unos ocho mil dólares por término medio. Sin embargo, dar la vuelta por el cabo de Hornos les hubiera costado, en combustible y gastos generales, unos cincuenta mil más, sin contar el increíble quebranto que produciría las semanas de retraso en las mercancías perecederas. Por lo tanto, si aquel maldito yate repleto de explosivos reventaba, el obsoleto canal de Panamá quedaba inutilizado durante cuatro años, lo cual hubiera degenerado en una crisis económica de proporciones incalculables.

—¡Lo imagino!

—No creo que puedas ni tan siquiera imaginarlo —sentenció el saudita convencido—. Tan sólo a los navieros nos produciría un quebranto de casi seis millones de dólares diarios, y muchos países, especialmente el Japón, corrían el riesgo de caer en una recesión de la que difícilmente podrían emerger.

—¿Y qué pasó?

—Que tuvimos que pagar.

—¿Cuánto?

—Setecientos millones.

—¿Setecientos millones? —repitió un impresionado Gaetano Derderian—. ¡Qué barbaridad!

—¡No! —sentenció seguro de lo que decía Oman Tlass—. El precio no resultaba en absoluto excesivo visto el daño que podían causar.

—¡La leche! ¿Y quién lo hizo?

—Nunca se supo.

Gaetano Derderian, que tenía razones más que sobradas para no asombrarse ya por nada, sobre todo en los últimos tiempos en que tantas cosas extrañas le habían ocurrido, quedó tan aplanado que tuvo que pedir permiso, con un simple gesto, para servirse una cerveza que extrajo de la nevera del bar.

Cuando la hubo apurado como si se tratara de una medicina que le estuviera salvando la vida, musitó apenas:

—¡Increíble! Alguien se atreve a chantajear de ese modo a la humanidad, y quince años más tarde entre todos los servicios de inteligencia del mundo aún no han conseguido averiguar quién fue. ¿Cómo se entiende?

—No se entiende —admitió el estrafalario personaje—. Pero eso mismo nos permite comprender hasta qué punto nos encontramos en manos de los violentos. El chantaje al canal no es más que uno de tantos de los que nunca se habla, la mayoría de los gobiernos prefieren pagar para que no se descubra hasta qué punto resultan vulnerables. Yo mismo me veo obligado a declarar en ocasiones que una de mis refinerías ha explotado por accidente, o uno de mis barcos se ha hundido por culpa de un temporal inexistente, porque de ese modo evito que se descubra lo fácil que puede resultar hacer daño a mis intereses.

—¿Y qué dicen a eso las compañías de seguros?

—Yo soy mi propia compañía de seguros —fue la respuesta—. Asegurar cuanto poseo me costaría infinitamente más caro que reparar los daños, por grandes que fueran. Lo que ahorro en las pólizas de veinte petroleros me permite construir uno nuevo cada tres años. Sin embargo, me consta que muchas compañías de seguros prefieren adoptar de igual modo esa política de pagar y fingir que se ha tratado de un accidente.

—¿Ese es su consejo en este caso? —quiso saber el brasileño como si con ello pretendiera resumir la larga conversación—. ¿Resignarse ante los atentados y fingir que se trata de meros accidentes?

—Le responderé con dos viejos proverbios de mi país —fue la respuesta—. «Corta la mano a un ladrón y tendrás un ladrón manco. No se la cortes y tendrás tres ladrones.» El segundo es aún más aplicable a este caso —concluyó el saudita convencido—. «Si pretendes que te respeten, pero no eres capaz de descubrir a quién te robó la bolsa, jura que la extraviaste.»

De regreso a bordo del *Acuarius*, Gaetano Derderian se encerró en su camarote alegando que le dolía la cabeza puesto que lo que en verdad deseaba era no hablar con nadie hasta haber conseguido procesar y analizar en lo posible la notable carga de información que había estado recibiendo durante las últimas horas.

Sabía que compartir la cena y la velada con Romain Lacroix y su esposa le volvería a desquiciar puesto que cada día que pasaba se sentía más atraído por la venezolana, por lo que se conformó con un sándwich y una cerveza fría para recostarse luego en un sillón, colocar los pies sobre la mesa y concentrarse en la compleja tarea de «archivar» cada nuevo dato en el casillero correspondiente.

Se veía obligado a abrir un nuevo tablero dedicado en exclusiva al terrorismo aun a sabiendas de que aquella era una partida de ajedrez que jamás conseguiría ganar puesto que no existía un contrincante palpable, y aun en el caso de que existiera de nada le serviría intentar derrotarle puesto que jamás respetaba ninguna de las reglas establecidas.

Para él no existían las torres, ni los caballos, ni los

alfiles o peones, puesto que su ley era un caos en el que cada cual se movía a su antojo y conveniencia.

La revelación de que el estratégico canal de Panamá, cuyo cierre provocaría sin duda un colapso del comercio mundial había estado en serio peligro, y de hecho podía volver a estarlo ya que continuaba siendo cruzado a diario por cientos de barcos a los que nadie controlaba, le inquietaba sobremanera puesto que le hacía comprender hasta qué punto era inestable el equilibrio de la sociedad en que le había tocado vivir.

Un puñado de multinacionales dominaban la economía mundial, pero un puñado de terroristas sin escrúpulos podían desbaratar ese dominio sin más ayuda que un viejo barco y unos cuantos kilos de dinamita.

¿Qué ocurriría entonces?

Recordaba haber cruzado en una ocasión por el canal, maravillándose por la fabulosa obra de ingeniería que permitía acceder de uno a otro océano salvando de un modo altamente ingenioso toda una cadena montañosa, pero al evocar aquel momento se veía obligado a admitir que ya entonces se le antojó que el paso del tiempo había dejado una profunda huella en sus instalaciones.

¡Casi un siglo!

El hombre había pisado la luna, sondas espaciales se aventuraban hacia el confín del universo, las noticias llegaban a los hogares en el momento mismo en que ocurrían, pero los seres humanos continuaban dependiendo de una obsoleta tecnología que contaba ya con casi un siglo de existencia.

Le vinieron a la mente las palabras de Waffi Waad cuando hablaba con tanto entusiasmo sobre su amado «Río de la Paz»:

—Esta será la obra de ingeniería más importante desde que se construyó el canal de Panamá.

¡Carajo!

Le molestaba haber tardado tanto en descubrir que le habían mentido al asegurar que los petroleros se hundían, los oleoductos reventaban, las plataformas petrolíferas se incendiaban o las refinerías explotaban por accidente cuando la realidad parecía ser ahora muy distinta.

Eso significaba que existía una conspiración de silencio que tenía como principal objetivo mantener a los ciudadanos en la ignorancia de su dolorosa y preocupante fragilidad.

La mayoría de los países gastaban una gran parte de sus presupuestos en pertrecharse de sofisticados armamentos que de poco les servían al carecer de un enemigo directo, pero sus dirigentes rara vez tenían el valor de admitir que al verdadero enemigo, aquel escurridizo fantasma que se movía entre tinieblas, nunca lo conseguirían vencer con ayuda de tanques y cohetes.

Se necesitaba inteligencia, y por desgracia la inteligencia era un bien escaso que ningún gobierno había conseguido comprar nunca a ningún precio.

Los tanques y los aviones se fabricaban en serie, pero la inteligencia nacía en los lugares más insospechados, a menudo crecía en los terrenos más inadecuados, y rara vez se ponía a la venta.

Aunque, siendo realistas, ¿de qué valía la más aguda de las inteligencias frente a la irracionalidad de un salvaje atentado terrorista?

Para un gran número de gobernantes occidentales, la palabra «terrorismo» era un término «tabú», que jamás debería pronunciarse en público, como si el simple hecho de borrarla del vocabulario oficial tuviera la virtud de hacer que desapareciera.

Admitir la existencia de terroristas entre sus fronteras era tanto como admitir que existían descontentos, y venía a significar algo muy parecido a que una persona decente reconociera que tenía sífilis o gonorrea.

Un gobierno poderoso podía sentirse orgulloso de tener enemigos del peso específico de China, Rusia, Irak o Corea, pero un gobierno poderoso jamás podría admitir que tenía gonorrea.

Se inclinó sobre el ordenador personal que descansaba sobre la mesa y envió a su secretaria particular un memorándum con la orden de que lo distribuyera de inmediato a todas sus oficinas y corresponsales; necesitaba cuanto antes una lista de todos aquellos graves «accidentes» de los diez últimos años que pudieran haber sido en realidad sabotajes.

A la vista de ese informe tal vez podría hacerse una idea de hasta qué punto el mundo estaba siendo víctima de la extorsión por parte de grupos violentos, y extrapolando los resultados quizá conseguiría de igual modo calcular en qué proporción los perjudicados habían optado por pagar el chantaje para que las consecuencias no llegaran más lejos.

Rememoró la inquietante frase que un explorador inglés había escrito hacía ya más de un siglo: «Cuando se intenta abrir una senda en una espesa selva, normalmente tan sólo conduce a otra selva aún más espesa».

En aquellos momentos Gaetano Derderian no podía evitar experimentar la misma sensación que sin duda experimentaba aquel veterano explorador, que cada vez que cortaba con su machete un cañaveral o una liana del grosor de un brazo, se enfrentaba al desasosegador espectáculo de nuevas cañas ahora entrelazadas o lianas del grosor de una pierna.

Tumbado en la butaca, contemplando el techo,

inmerso en el absoluto silencio que tanto le reconfortaba, el pernambucano llegó a la conclusión de que un mes atrás había iniciado una tranquila y rutinaria andadura en busca de un posible asesino solitario, para descubrir de improviso que trataba de abrirse paso a duras penas por una de aquellas «selvas cada vez más espesas», en las que en un principio nada parecía habérsele perdido.

El viejo dicho «cuanto más aprendemos sobre algo, más cuenta nos damos de lo poco que sabemos», se estaba haciendo de nuevo realidad.

Cerró los ojos para quedarse dormido con aquella inquietante sensación de ignorancia e impotencia, y le despertó, pasada ya la media noche, el repicar del teléfono.

Escuchó atentamente.

—¡Gracias! —dijo—. Buen trabajo. Mañana estaré ahí.

A la hora del desayuno se enfrentó al matrimonio Lacroix y a Waffi Waad que se encontraban a punto de emprender viaje de regreso, los primeros a París, y el segundo a Dubai.

Naima Fonseca aparecía más radiante que nunca, y una vez más el brasileño se preguntó, maravillado, cómo un ser humano estaba en disposición de ser igualmente hermoso a primera hora del día o última de la noche.

En cuanto el camarero que le servía el café se hubo retirado, se volvió directamente al francés para señalar como sin darle importancia al tema:

—Mi gente ha localizado a uno de los españoles.

—¿Dónde está?

—En Mallorca. Al parecer hace un año que se retiró de toda actividad ya que está prácticamente arruinado.

—¿En Mallorca? —repitió el otro con una leve sonrisa—. ¡Perfecto! Le diré al capitán que le lleve.

—Puedo coger un avión.

—No hace falta. Mañana por la mañana estará allí, y al *Acuarius* le vendrá bien airearse un poco. Estos últimos meses apenas ha salido del puerto.

—En realidad hace ya más de un año que no se mueve porque a mí no me gusta navegar —puntualizó con absoluta naturalidad la venezolana—. Me mareo.

El pernambucano estuvo a punto de preguntar para qué servía un barco de casi cincuenta metros de eslora y una tripulación de veinte personas si su destino era estar siempre atracado a un muelle, pero se contuvo limitándose a extraer de una carpeta un documento y colocarlo sobre la mesa.

—¡De acuerdo! —dijo—. Iré en el barco. Pero antes necesito que me firme estos papeles y me extienda un cheque a nombre de Víctor Benavides.

Romain Lacroix ni siquiera se molestó en alargar la mano.

—¿De qué se trata? —quiso saber.

—De la aceptación por su parte de que un tal Víctor Benavides y el difunto Germán Santana son los auténticos propietarios intelectuales de la idea de un proyecto de desaladora conocido como el «Río de la Paz». Al firmar ese documento les garantiza que tanto ellos como sus herederos tienen derecho a un dos por ciento de los beneficios que se produzcan durante los próximos cuarenta años. —El brasileño sonrió como si estuviera tramando una divertida travesura—. Y como compensación por los perjuicios que se les haya podido producir hasta el presente les acompaña un primer cheque de treinta millones de dólares.

—¡Joder! —no pudo por menos que exclamar Romain Lacroix—. ¿Nada menos que treinta millones de dólares? ¿No le parece que se ha pasado en sus cálculos?

—¡En absoluto! La corporación se beneficiará de unos ingresos fabulosos, y cuanto más lo pienso más creo que me estoy quedando corto.

El francés se volvió con gesto desolado a Waffi Waad para inquirir como solicitando apoyos:

—¿Tú qué dices?

—Que tu buen amigo Barriere puso la gran cagada, y cuando alguien pone la gran cagada hay que cargar con las consecuencias. Firma. Yo asumo mi parte.

El otro se volvió ahora a su esposa para inquirir:

—¿Y tú qué opinas?

—Que firmes.

—Pero…

La hermosa mujer extendió la mano y la colocó sobre el antebrazo de su marido para insistir como si estuviera tratando con un niño que no quisiera comerse la sopa.

—He dicho que firmes y acabemos de una vez con este asunto. Si te hace sentirte mejor imagínate que se trata del contrato de Zidedine Zidane.

Romain Lacroix lanzó un gruñido, suspiró profundamente, pareció enfurruñarse, pero acabó por aceptar la pluma que Gaetano Derderian le tendía.

Firmó al pie del documento, lo devolvió, y tras lanzar una sonora palabrota, añadió:

—Nunca creí que acabaría por maldecir la memoria de Mathias, pero lo cierto es que ese hijo de puta me ha complicado la vida. Mi secretario le entregará el cheque. Y ahora más vale que nos pongamos en marcha a ver si ese negocio con los jodidos suecos me compensa por las pérdidas del día.

Una hora más tarde el *Acuarius* se adentraba en mar abierto, y tumbado en una hamaca que ya no olía a Naima Fonseca, Gaetano Derderian disfrutaba del extraño placer de ser el único pasajero de uno de los yates más lujosos del mundo.

El Mediterráneo semejaba una balsa de aceite y resultó evidente que el capitán ardía en deseos de poner a prueba al *Acuarius* puesto que su proa cortaba las aguas como un afilado cuchillo por lo que el prodigioso navío semejaba una gaviota que se deslizara sin rozar apenas la azul superficie.

—Gran cosa eso de ser muy rico —musitó para sus adentros el brasileño—. Gran cosa, si para conseguirlo no fuera necesario pisotear a tanta gente.

Almorzó y cenó con el capitán, un griego que respondía al sonoro nombre de Aristófanes Papanicolau, hombre sumamente agradable pero que muy pronto reconoció que se aburría como un oso panda en el zoo por el hecho de estar al mando de una nave que se pasaba la mayor parte del tiempo inmóvil.

Gran aficionado al ajedrez y conocedor de la fama de su pasajero tuvo la osadía de retarle a una partida, aunque, eso sí, reclamando dos torres de ventaja.

Su derrota tuvo lugar en catorce jugadas sin que su contrincante tuviera necesidad de recurrir a sus inexistentes torres, por lo que admitió humildemente que resultaba absurdo intentarlo por segunda vez.

Charlaron luego largamente, sentados en cubierta, y a primera hora de la mañana atracó, con una intachable maniobra en el amplio puerto de Palma de Mallorca.

El corresponsal de Gaetano Derderian en España, Gregorio Giménez, se encontraba esperando en el muelle, y tras subir a toda prisa a bordo señaló:

—Víctor Benavides vive en una pequeña casa a la orilla del mar, cerca del puerto de Andraixt. Como no deja que nadie se acerque por tierra, tal vez sería buena idea sorprenderle llegando desde el mar.

—¿Seguro que está en la isla?

—Jamás se mueve.

Una hora más tarde, el brasileño desembarcaba, solo, de una de las lanchas auxiliares del *Acuarius* que había echado el ancla a poco más de quinientos metros de la costa, y apenas hubo puesto el pie en la diminuta playa, un chicarrón con cara de pocos amigos le salió al paso.

—Esto es una propiedad privada —dijo.

—Lo sé —fue la respuesta—. Quisiera ver a don Víctor Benavides.

—Mi padre no recibe a nadie.

—También lo sé, pero ruego que subas y le digas que le traigo un cheque por treinta millones de dólares.

El muchachote le observó estupefacto.

—¿Cómo ha dicho? —inquirió.

Su interlocutor se limitó a abrir el portafolios que llevaba en la mano y mostrar el cheque.

—He dicho que vengo a entregarle esto.

—¡Espere un momento!

Salió zumbando escaleras arriba, desapareció en el interior de la casa y a los pocos instantes surgió de nuevo en la terraza haciéndole un imperativo gesto con la mano.

—¡Suba! —pidió.

Víctor Benavides, un hombre de unos sesenta años, casi calvo y rostro marcado por incontables cicatrices, le aguardaba sentado en una desvencijada butaca, y lo primero que se advertía en él, aparte de la tristeza que parecía emanar de toda su persona, era el hecho de que carecía de un brazo y una pierna.

Con un leve gesto de la cabeza indicó al recién llegado que tomara asiento frente a él, y tras observarle con atención inquirió en tono agrio:

—¿Quién es usted, y qué es esa historia de un fabuloso cheque a mi nombre?

—Me llamo Gaetano Derderian y me envía el señor Romain Lacroix con el encargo de entregarle en propia mano este documento y este cheque.

El dueño de la casa aguardó a que su hijo le alcanzara las gafas que se encontraban sobre el aparador, y tras colocárselas estudió con atención el documento para echarle a continuación una distraída ojeada al cheque.

Por último alzó el rostro para inquirir en el mismo tono de acritud:

—¿Y esto a qué viene? —quiso saber.

—A que el presidente de la Corporación Acuario & Orión acaba de tener conocimiento de la tremenda injusticia que cometió su empresa con usted y con su socio, Germán Santana, por lo que ha decidido indemnizarles en la medida de sus posibilidades.

—Demasiado tarde, ¿no le parece?

—Más vale tarde que nunca, ¿no cree? Le puedo asegurar, puesto que he sido el encargado de la investigación, que el señor Lacroix no tenía la más mínima idea de que la gran desaladora de Jordania no era un proyecto nacido de sus propios ingenieros, sino que partía de ustedes.

—¡Increíble!

—Admito que se lo parezca, pero así es —reconoció de inmediato el pernambucano—. Fue su vicepresidente, el fallecido Mathias Barriere, quien urdió la trama a sus espaldas.

—¿Por qué son siempre los muertos los culpables

de todo? —inquirió con evidente ironía el español—. Casi siempre suele ser al muerto a quien se le carga el muerto.

—En este caso particular, porque el simple hecho de estar muerto no le exime de sus culpas —fue la respuesta—. Estará de acuerdo conmigo en que a mi cliente le hubiera resultado mucho más cómodo, y sobre todo, más barato, lavarse las manos y no admitir su parte de responsabilidad en lo que alguien ya desaparecido había hecho sin su consentimiento.

—¿Y quién me garantiza que él no lo sabía?

—Ese documento y ese cheque.

—¿Y realmente el señor Lacroix cree que la vida de mi esposa y la de mi cuñado, sin contar mi brazo y mi pierna, se pagan con treinta millones de dólares y un porcentaje sobre futuros beneficios?

La pregunta tuvo la virtud de desconcertar a Gaetano Derderian que se limitó a alzar el rostro hacia el impasible muchacho que no había abierto la boca durante el transcurso de la incómoda conversación.

—¿Qué ha querido decir con eso? —acertó a balbucear al fin.

—¿Acaso no lo sabía? —inquirió el aludido—. En cuanto mi padre y mi tío plantearon la posibilidad de interponer una querella criminal contra la Corporación Acuario & Orión por apropiación indebida de una patente internacionalmente reconocida, un «coche bomba» mató a mi madre y dejó a mi padre tal como lo ve. Un mes más tarde, el barco de mi tío explotó en alta mar. ¿Quién cree que lo hizo?

—¡Dios bendito! —no pudo por menos que exclamar el brasileño—. Me niego a aceptar que ni siquiera Mathias Barriere fuera capaz de maquinar algo así.

Víctor Benavides se limitó a alzar el muñón de su brazo.

—¿Necesita más pruebas? —quiso saber.

De nuevo a bordo del *Acuarius*, Gaetano Derderian rogó al capitán que dejara el barco fondeado donde se encontraba, y ayudado por Gregorio Giménez comenzó a hacer llamadas telefónicas y a enviar mensajes a través de Internet en un desesperado esfuerzo por conseguir que el confuso rompecabezas que tenía a la vista fuera tomando forma.

No le gustaban las sorpresas, por lo que no le gustaba descubrir de improviso que Víctor Benavides y Germán Santana eran, no sólo socios, sino también cuñados e íntimos amigos, y que el segundo había desaparecido en un naufragio al poco tiempo de que el primero sufriera un terrible atentado.

Habló personalmente con el presidente de la compañía aseguradora del barco, y a la media hora el correo electrónico ponía ante sus ojos el más detallado informe sobre el incendio en alta mar.

Recordó que una antigua amante había sido a su vez amante de un ministro español, y con la promesa de un Cartier de oro la obligó a abandonar una discoteca, volver a su casa y proporcionarle el número privado del ministro.

El ministro ya no era ministro, pero al fin admitió que recordaba perfectamente a un par de cabrones que habían proporcionado incontables dolores de cabeza a uno de sus colegas en su intento de echar por tierra un ambicioso proyecto que había costado años madurar.

Por su parte Giménez removía cielo y tierra.

Al fin suplicó que no le molestaran y se acomodó en la hamaca de cubierta a observar con profundo detenimiento la pequeña casa casi incrustada entre las rocas del impresionante acantilado de la pequeña península conocida por Sa Mola.

Necesitaba pensar.

Y pensar más intensamente y más aprisa que nunca.

Su imaginación voló en todas direcciones.

Su mente se adentró por espinosos caminos que no conducían a parte alguna, para volver de nuevo a los comienzos y reanudar, incansable, la búsqueda de piezas que encajaran en los muchos huecos de aquella desconcertante historia.

Repasó fechas y datos, rememoró conversaciones, desechó pistas falsas, y ya casi al amanecer decidió descansar un rato seguro como estaba de que había conseguido abrir al fin una puerta correcta.

El informe que Giménez le trajo horas más tarde confirmó sus sospechas, por lo que pasado el mediodía ordenó que una embarcación le devolviera a la casa.

Podría creerse que Víctor Benavides no se había movido de su vieja butaca.

—¿Y bien? —inquirió—. ¿Qué le trae de nuevo por aquí?

—La verdad —replicó el brasileño seguro de sí mismo—. Y la verdad puede ser muy diferente a la que usted pretende que acepte. Tan sólo quiero que se plantee una cuestión: ¿qué pasaría si la corporación que me contrató de buena fe para que investigara a fondo todo este asunto nada hubiera tenido que ver con esos dos atentados?

—¿A qué se refiere?

—A que le invito a descartar, aunque tan sólo sea por un momento, esa hipótesis.

—No le entiendo.

—Pues esfuércese en hacerlo. Resulta comprensible, que si su cuñado y usted contaban con la triste experiencia de que la poderosa Corporación Acuario & Orión les había jugado ya una sucia pasada, y habían decidido demandarla con todo lo que ello podría traer aparejado, llegaran a la precipitada conclusión de que había sido de igual modo dicha corporación la que había optado por la radical solución de eliminarles físicamente.

—Lógico, ¿no le parece?

—De una lógica aplastante, pero en ocasiones la respuesta más lógica no tiene por qué ser necesariamente la correcta. Sobre todo si hay alguien empeñado en que lo parezca.

—¿Quién?

—Eso es lo que pretendo que usted me aclare.

—¿Cómo?

—Contándome qué otros proyectos tenían en esos momentos entre manos.

Resultó evidente que, por primera vez, Víctor Benavides cambiaba levemente de actitud, puesto que se agitó inquieto en su asiento, alzó la vista hacia su hijo que permanecía apoyado en el quicio de la puerta, y por último se rascó la incipiente calva con su única mano.

—Tan sólo teníamos un proyecto —musitó casi con un susurro.

—«La alternativa al trasvase del río Ebro», ¿no es cierto? —Ante el sorprendido gesto de asentimiento de su interlocutor, insistió—: Hábleme de él.

—¿Y qué quiere que le diga?

—Quiero que me explique exactamente en qué consistía, porque los informes que me han proporcionado son bastante confusos.

El infeliz individuo al que le habían arrebatado en un instante a su esposa, un brazo y una pierna, tardó bastante en responder a la demanda, como si necesitara tiempo para recordar, o para encontrar las palabras justas.

—El gobierno español ha aprobado un ambicioso pero controvertido plan con vistas a solucionar de una vez por todas las viejas y tradicionales carencias hidrológicas de nuestro país —comenzó—. Y la espina dorsal de dicho plan se centra en un gigantesco trasvase que llevará el agua del río Ebro a todo lo largo de la costa mediterránea, desde el norte, en Cataluña, al extremo sur, en Almería.

—¿Cuántos kilómetros?

—Más de mil.

—¿Y a qué coste?

—Entre cuatro y cinco mil millones de dólares.

—Eso es mucho dinero.

—Mucho, en efecto.

—¿Y quiénes serían los principales beneficiados de ese presupuesto?

—Las grandes constructoras, lo que por aquí suele llamarse la «Cofradía del Hormigón».

—Las conozco. Son un fenómeno que suele darse en casi todos los países, porque el cemento constituye un fabuloso negocio siempre que tengan algo grande que construir. Si la demanda baja entran rápidamente en pérdidas.

—Así suele ocurrir.

—Pero aun sabiendo eso, ustedes no dudaron en plantearle al gobierno una alternativa que evitaba el trasvase.

—¡Naturalmente! Presentamos un detallado estudio por el que se demostraba que con la mitad de la inversión inicial se podían construir nueve gigantescas plantas desaladoras de presión natural que producirían la misma cantidad de agua, mucho más barata y sin necesidad de quitársela a un río contaminado al que no le sobraba ni un metro cúbico.

—¿Y qué dijo el gobierno?

—Al principio se mostró renuente a aceptar la idea puesto que se había implicado muy a fondo en un tema que se había convertido en una especie de bandera política, pero tras mucho insistir y tras largos análisis, los propios técnicos de dos de sus ministerios llegaron a la conclusión de que, efectivamente, la alternativa que habíamos planteado resultaba mucho más barata y razonable.

—¿Y no influyó algo más?

Víctor Benavides le observó de medio lado como si no entendiera muy bien a qué se estaba refiriendo.

—¿Algo más? —repitió.

—Algún argumento relacionado con la seguridad nacional.

—Ahora que lo dice, en efecto, lo hubo —admitió el dueño de la casa—. Nosotros acabábamos de llegar de Oriente Medio, donde nos habíamos percatado del enorme esfuerzo que se ve obligado a hacer el estado de Israel para proteger las aguas del pequeño río Jordán y el lago Tiberíades de una posible contaminación accidental o un envenenamiento por parte de grupos terroristas. Los judíos utilizan alambradas, minas antipersonales y una parte muy importante de su ejército en un intento de evitar que nadie se aproxime a sus orillas.

—¿Y se lo comunicaron a las autoridades españolas?

—Intentamos hacerles comprender que proteger de igual modo los novecientos kilómetros del río Ebro, que se extiende por una cuenca de más de ochenta mil kilómetros cuadrados y cuenta con cientos de afluentes que nacen en regiones muy remotas, resultaría del todo punto inviable desde un punto de vista meramente estratégico de cara a la posibilidad de un atentado con una serie de agentes contaminantes, que por desgracia hoy en día se pueden conseguir con relativa facilidad.

—¿Y cómo reaccionaron?

—Les preocupó, y mucho, de eso no cabe la menor duda. Como supongo que sabrá, España tiene desde hace años un grave problema terrorista.

—O sea que le hicieron ver al gobierno que si se gastaban todo ese dinero en construir un trasvase estarían poniendo a una gran parte de la población en manos de los terroristas.

—A unos quince millones de españoles, en efecto. Aproximadamente la tercera parte de la población.

—O mucho me equivoco o eso significa que los terroristas podrían haber chantajeado a una tercera parte de los españoles por el simple procedimiento de amenazarles con contaminar su única fuente de abastecimiento de agua.

—Por el resto de la historia, generación tras generación, hasta el fin de los siglos.

Gaetano Derderian Guimeraes se inclinó hacia delante con el fin de observar muy de cerca a su interlocutor y estudiar así sus reacciones al inquirir:

—¿Y ni su cuñado ni usted, que habían demostrado no ser ningunos estúpidos, cayeron en la cuenta del peligro que corrían por el mero hecho de proponer una alternativa que le arrebataba a los terroristas la posibilidad de convertirse en los futuros dueños de una tercera parte de España?

Podría creerse que al inválido se le abría por primera vez en mucho tiempo una ventana en el cerebro. Observó a su visitante con un cierto estupor, agitó una y otra vez la cabeza como si estuviera intentando desechar un mal pensamiento, y por último las palabras surgieron curiosamente embarulladas.

—Ni por lo más remoto —admitió.

—¿Quién estaba al corriente de su propuesta?

—Supongo que medio centenar de personas.

—¿Y no se les pasó por la cabeza que alguna de ellas, relacionada directa o indirectamente con los terroristas, pudiera apresurarse a advertirles que un par de ilusos descerebrados estaban a punto de arruinarles la posibilidad de que fuera el mismísimo gobierno de la nación a la que odiaban el que se gastara una fortuna en servirles en bandeja la mejor baza con que pueda soñar un terrorista?

—Empiezo a creer que tiene usted una mente retorcida —protestó el otro casi con un lamento—. ¿A quién se le ocurre que puedan ser los terroristas quienes...?

—Se le ocurre a alguien cuyo trabajo es pensar siempre lo peor —le interrumpió su interlocutor—. Por lo que tengo entendido, su cuñado era un fenómeno a la hora de inventar formas de abaratar el coste del agua o cosas parecidas, y usted una especie de genio organizando empresas, pero en todo cuanto se relaciona con el crimen, yo soy, y perdone la inmodestia, el mejor profesional que existe en estos momentos.

—No sé por qué, pero empiezo a creérmelo.

—Y más se lo creerá cuando hayamos acabado, pero lo que ahora importa es que entienda que los terroristas tenían más razones y mejores medios para organizar atentados que Mathias Barriere, de quien me consta que estaba dispuesto a arreglar las cosas amistosamente.

—¿Está seguro de eso?

—Completamente. Entre sus documentos mis colaboradores han encontrado el borrador de un posible acuerdo por si ustedes se ponían demasiado pesados; había calculado ofrecerles diez millones de euros y un uno por ciento de los beneficios.

—¡Hijo de la gran puta!

El pernambucano asintió con la cabeza.

—Lo era, en efecto —dijo—. Pero no un asesino, aunque entra dentro de lo posible que fuera él quien ordenara la muerte de Abdull Shami, ya que era el único que tenía pruebas que en un momento dado podría incriminarle. Pero esa es otra historia. Estoy firmemente convencido de que en lo que a ustedes se refiere, jamás tuvo intención de matarlos.

—Resulta muy duro aceptar que todo este tiempo he vivido equivocado —musitó casi con un hilo de voz el manco—. ¡Muy, muy duro!

—Supongo que más difícil aún le resultará a su cuñado.

El otro se encogió de hombros en un gesto que parecía dejar entrever un cierto fatalismo al señalar:

—Al pobre ni siquiera le dieron tiempo para pensar en ello.

—¿Está seguro?

—¿Qué ha querido decir? —inquirió visiblemente desconcertado el dueño de la casa.

—¡Oh, vamos, amigo mío! —protestó Gaetano Derderian—. No me menosprecie. Como ya le he dicho, soy un buen profesional que se ha enfrentado demasiadas veces a casos en los que alguien ha pretendido fingir su propia muerte.

—¿Pero de qué coño me está hablando? —se indignó el manco que evidentemente no daba crédito a lo que estaba oyendo.

—De que he estudiado los informes que me ha enviado la compañía de seguros sobre la explosión y el posterior hundimiento de ese barquichuelo en unas aguas demasiado profundas como para que se pueda recuperar, por lo que me juego la cabeza a que su cuñado, Germán Santana, continúa con vida.

—¿Es que se ha vuelto loco?

—¡En absoluto! Y de igual modo me juego la cabeza a que ha sido él quien se ha cargado a Mathias Barriere y a cuantos considera culpables de la muerte de su hermana y de que usted se haya convertido en un inválido.

—¿Pero cómo se atreve a insinuar algo así? —sollozó el pobre hombre, al que su hijo había acudido a sujetar porque se le diría a punto de lanzarse sobre su visitante—. Germán era un hombre íntegro y extraordinario, incapaz de hacerle daño a nadie.

—Lo supongo —admitió quien de aquel modo le había sacado de sus casillas—. Son muchos los hombres íntegros, ordinarios o extraordinarios, incapaces de hacerle daño a nadie hasta que se les empuja a unos límites que van más allá de lo que humanamente pueden soportar. A su cuñado le pusieron en esa tesitura y reaccionó tal como cualquiera de nosotros hubiera reaccionado. El único problema estriba en que se equivocó de medio a medio, y mató a quien no debía.

Víctor Benavides pareció hundirse de pronto en su sillón, como si bruscamente hubiera disminuido de peso o de tamaño, y al fin alzó suplicante los ojos hacia su hijo, tal vez rogando que le proporcionara algún tipo de ayuda moral.

El muchacho le aferró la mano, torció el gesto y casi con miedo, señaló:

—Si quieres que te diga la verdad, alguna vez se me pasó por la mente la idea de que algo así pudiera haber ocurrido, aunque siempre la rechazaba por absurda.

Su padre le observó boquiabierto.

—¿Y en qué te basabas? —quiso saber.

—En que tras el atentado estaba como loco, desesperado por la muerte de mamá. Tú no te enterabas porque continuabas muy grave, pero juraba venganza, no dormía y se lo llevaban los demonios. —Hizo un gesto de resignación al añadir—: No creo que haga falta que te recuerde cómo era el tío Germán cuando perdía los estribos.

—Admito que solía volverse muy violento y le costaba trabajo conseguir recuperar el control, pero de ahí a...

—En esta ocasión no había forma de hacerle entrar en razón —insistió el muchacho—. No se podía hablar con él y daba miedo verle porque tenías la impresión de que iba a estallar de un ataque de apoplejía. Nunca entendí cómo un hombre tan pacífico y equilibrado podía cambiar de ese modo, pero así fue. Sin embargo y sin venir a cuento, un buen día salió a pescar, cosa que no había hecho en cinco meses, y jamás regresó. Ni vivo ni muerto.

—Sospechoso, ¿no le parece? —intervino una vez más el brasileño—. Alguien cuya hermana acaba de ser asesinada, cuyo cuñado se encuentra en coma, y cuya empresa se ha hundido en la más absoluta ruina, se va de pesca como si se encontrara de vacaciones.

—Puede que se suicidara —insinuó el inválido como si le costara trabajo admitirlo—. No le niego que esa es una teoría que algunas veces me he planteado.

—¿Sin dejar ni tan siquiera una nota de despedida?

—Era su forma de ser.

—Explíqueme la forma de ser de alguien que según los datos que obran en mi poder un buen día vende todos sus bienes, incluidos sus derechos de patente sobre cuanto había inventado, y en lugar de dejarle el dinero a su cuñado que se ha quedado inválido e igualmente arruinado, lo envía a una cuenta secreta de un banco de Ginebra y una semana después decide suicidarse.

—¿Cómo sabe todo eso?

—¿Para qué cree que tengo bajo contrato a los mejores investigadores de cada país? —fue la pregunta que pretendía responder a la pregunta—. Ser siempre el mejor cuesta muy caro, pero con ello se consigue que cada vez que levanto el teléfono un montón de gente muy lista mueva el culo a toda prisa con el fin de proporcionarme la información que necesito. ¿Quiere que le diga a quién y por cuánto vendió Germán Santana sus casas, sus coches o sus patentes?

—Supongo que no hace falta.

—Reunió poco más de tres millones de euros, y con ese dinero se consiguió una nueva identidad y probablemente se sometió a una operación de cirugía estética, por lo que ahora anda suelto por ahí asesinando a gente equivocada.

—¡Dios misericordioso!

—Y lo peor del caso, es que si no doy con él acabará matando a Romain Lacroix, cuyo único delito, en este caso, fue confiar en un amigo de la infancia que le salió rana.

—¿Mathias Barriere?

—«El difunto Mathias Barriere.»

—Ese se lo buscó.

El pernambucano negó con un decidido ademán de cabeza:

—A no ser que mandara asesinar a Abdull Shami, cosa que aún está por ver, se buscó acabar en la cárcel, pero no que le ejecutaran por un simple delito de apropiación indebida y robo de patentes. Y ahora dígame: ¿está dispuesto a ayudarme a encontrar a su cuñado, o piensa permitir que continúe cometiendo errores y matando a gente inocente?

—¿Y cómo podría ayudarle?

—Eso no lo sé.

—Se supone que usted es el listo.

—Y se supone que pronto o tarde daré con él, pero cuanto antes, mejor. Lo que le pido es que piense, intente recordar y me proporcione alguna pista que me lleve hasta él.

—¿Y qué le ocurrirá?

—Ese no es ya mi problema —replicó el otro con absoluta naturalidad—. No soy fiscal, ni juez ni me pagan por jugar a serlo. Mi única obligación es salvarle la vida a mi cliente, cobrar y guardar silencio.

—¿Secreto de confesión? —fue la irónica pregunta.

—Llámelo como quiera, pero le recuerdo que entre otras cosas soy abogado, y un abogado tiene derecho a no revelar lo que sabe sobre sus clientes.

—Mi cuñado nunca fue su cliente.

—Pero usted puede serlo —le hizo notar el otro con un leve guiño de complicidad—. Bastará con que me firme un pequeño documento nombrándome su abogado y representante legal de los derechos de su «difunto» cuñado, para obligarme a mantener la boca cerrada en cuanto se refiere a los dos.

El inválido le observó de medio lado, como si estuviera calibrando su valía al comentar:

—Veo que piensa en todo.

—Ya le he repetido infinidad de veces que soy bueno, muy bueno. Le conviene confiar en mí.

—Yo no entiendo mucho de estas cosas… —intervino el muchacho que no perdía detalle de la extraña conversación—. Pero creo que tiene razón.

Su padre se tomó un tiempo para meditar, los

observó a los dos, asintió repetidas veces y por último inquirió:

—¿Qué quiere que haga exactamente?

—En primer lugar proporcionarme ese estudio sobre plantas desaladoras que sustituirían el dichoso trasvase.

—¿Y eso para qué?

—Para intentar saber si puede haber alguien más implicado en el tema, aparte lógicamente de los terroristas.

—¿Realmente imagina que alguna empresa española podría recurrir a tales métodos?

El brasileño le dedicó una significativa mirada de reconvención al puntualizar:

—Le recuerdo que usted no ha dudado a la hora de suponer que era una empresa francesa la que había recurrido a dichos métodos. Y le recuerdo de igual modo, que en su caso no estaban en juego entre cuatro y cinco mil millones de dólares.

—En eso le doy la razón. ¿Necesita algo más?

—Firmar ese contrato por el que me nombra su abogado. Y por último pensar en cómo podría dar con su cuñado.

Víctor Benavides se volvió a su hijo.

—Trae el estudio —rogó.

El aludido desapareció en el interior de la casa para regresar con un grueso dossier de tapas azules que entregó al brasileño, quien lo hojeó por encima mientras se ponía en pie dispuesto a marcharse.

—Y ahora piense —dijo—. Y recuerde que no está traicionando a su cuñado. Está intentando salvarle.

El estudio era detallado, exhaustivo y dejaba en evidencia lo inadecuado de un gasto multimillonario cuyo resultado final no era otro que construir una auténtica arteria yugular que dejaba el futuro de la tercera parte de un país en manos de sus peores enemigos.

Quienes habían desarrollado el proyecto de aquel faraónico trasvase probablemente habían obrado de buena fe en la búsqueda de una solución a los problemas de abastecimiento de una región que llevaba siglos padeciendo graves carencias hidrológicas, pero no habían caído en la cuenta de que semejante solución había quedado trasnochada, puesto que en los tiempos en que se empezó a diseñar el terrorismo aún no se había convertido en una de las principales lacras de la sociedad.

Inmersos en sus números, y obsesionados con la necesidad de construir pantanos reguladores, encontrar los trazados óptimos que no dañaran el entorno, o evitar destruir parajes naturales, los técnicos no habían tenido oportunidad de advertir que el mundo evolucionaba en otra dirección, y ya el peor enemigo no lo constituía la carencia de agua, sino la posibilidad de que fuera envenenada.

Era como si un buen arquitecto hubiera diseñado una casa sin puertas en unos tiempos en los que no existían ladrones, pero con la proliferación de esos ladrones la prioridad de ese arquitecto debía concretarse, en buena lógica, en proteger a los inquilinos de la futura casa.

El proyecto diseñado por los dos cuñados diversificaba las fuentes de abastecimiento diluyendo los riesgos, y lo más curioso del caso estribaba en el hecho de que si sus cálculos eran mínimamente correctos, cosa que Gaetano Derderian no estaba en capacidad de discernir, el coste económico venía a ser bastante inferior.

El resultado era que en lugar de una mansión se construía una fortaleza, cosa que evidentemente no debía agradar en exceso a aquellos ladrones que en un principio se las habían prometido muy felices.

Ni a unas empresas constructoras que advertían cómo se les escurría de entre los dedos unos presupuestos ya aprobados y francamente jugosos.

—Me da la impresión de que ese par de chiflados le estaban pisando los callos a mucha gente —comentó al fin el brasileño—. A demasiada gente.

Gregorio Giménez, que ocupaba el otro lado de la ancha mesa del comedor del *Acuarius* estudiando mapas, comprobando cifras y analizando datos, asintió con un casi imperceptible movimiento de cabeza:

—Demasiados intereses de gente demasiado importante —corroboró en español a sabiendas de que su interlocutor lo entendía perfectamente—. Se metieron en camisas de once varas, y no me extraña que hayan salido trasquilados.

—Su intención era buena.

—¿Y a quién le importan las buenas intenciones cuando está en juego tantísimo dinero? —quiso saber el otro—. Si yo fuera el presidente de una constructora que ha hecho unos cálculos a sabiendas de que le van a adjudicar una parte importante de esa obra, lo cual significa que tiene trabajo asegurado para los próximos siete años, y de pronto aparecieran unos advenedizos amenazando con fastidiarme el negocio supongo que me cabrearía cantidad.

—¿Hasta el punto de ordenar que les pusieran una bomba en el coche?

—Eso depende de quién sea ese presidente.

—Sin embargo… —puntualizó Gaetano Derderian—. Si yo fuera un terrorista que advierte cómo mis enemigos parecen decididos a ponerse enteramente en mis manos, pero de pronto apareciesen un par de advenedizos que pretendieran fastidiarme, me cabrearía hasta el punto de ponerles una bomba en el coche.

—Ambas teorías son válidas, y tanto da una como la otra —argumentó el español—. Lo cierto es que la bomba explotó, los advenedizos han sido borrados del mapa y es posible que la dichosa «alternativa» pase muy pronto al olvido. Unos y otros pueden estar contentos.

—Extraño mundo este en que los intereses de quienes construyen y de quienes destruyen pueden llegar a coincidir —se vio obligado a señalar el brasileño.

—Extraño ciertamente.

—¿Y qué actitud crees que adoptará el gobierno español en este caso?

—Por muy buena voluntad que tengan algunos ministros y mucho afán que pongan en evitar que la historia les recuerde como los que propiciaron que catalanes, aragoneses, valencianos, murcianos y almerienses se convirtieran en eternos rehenes de sus peores enemigos, no creo que consigan evitarlo.

—¿Y eso por qué?

—Porque conviene tener muy presente que todos los gobiernos, sean buenos o malos, pasan, mientras que los intereses siempre continúan.

—¡Amarga frase, vive Dios! Rezuma pesimismo.

—Realismo y pesimismo son hermanos de sangre —señaló Gregorio Giménez—. Sobre todo en España, donde suelen marchar cogidos de la mano.

—Tú lo sabrás mejor que yo, que nací en Brasil, donde pecamos por el contrario de fantasiosos y optimistas. Al fin y al cabo todo esto de la conveniencia o no de un trasvase no es mi guerra, ya que mi obligación es concentrarme en encontrar a nuestro buen amigo, Germán Santana, e impedir que continúe asesinando inocentes.

—¿Y cómo piensas conseguirlo si no tienes ni la menor idea de dónde está, cómo se llama, o qué cara tiene si es que se ha hecho la cirugía estética?

—De momento sé dónde está. O al menos dónde ha estado en los últimos tiempos.

—¿Dónde?

—Donde están sus posibles víctimas, en París. Nuestra gente allí ya está buscándolo, y lo que necesito ahora es que muevas tus relaciones en Madrid para intentar averiguar quién ha podido proporcionarle una nueva identidad. Sabemos su edad, su estatura, su complexión y la fecha aproximada en que debió hacer el pedido. ¿Crees que con eso bastará?

—Espero que sí —admitió el otro—. No hay demasiados profesionales de la falsificación que resulten asequibles a quien no pertenezca al oficio.

—¿Cuánto tiempo necesitarás?

—Un par de semanas.

—Que sea una.

236

—En ese caso tengo que ponerme en marcha cuanto antes.

—Aquí ya no te necesito. Mañana le haré una última visita a Benavides por ver si se le ha ocurrido algo que pueda servirnos de ayuda, y por la tarde cogeré el primer avión hacia París.

Víctor Benavides no fue de mucha ayuda, pero su hijo admitió que de tanto en tanto una amable desconocida telefoneaba interesándose por la salud de su padre.

—Tiene un leve acento argentino o tal vez uruguayo —concluyó.

—Germán tuvo durante años una amante en Chile —comentó el inválido—. Puede que se trate de ella.

—¿Cómo se llamaba?

—Martina. El apellido no lo recuerdo. Es más, creo que nunca lo supe porque si no me equivoco estaba casada y llevaban su relación con mucha discreción.

—Pues busque entre los papeles y las libretas de teléfonos de su cuñado un prefijo de Chile, y si encuentra un número hágamelo saber. Si está utilizando a esa antigua amante para saber cómo se encuentra usted, tal vez nos conduzca hasta él.

—¿Quiere que le diga algo cuando vuelva a llamar?

—En absoluto. Eso le pondría sobre aviso y probablemente resultaría contraproducente. —El pernambucano se aproximó al escritorio del rincón y observó el aparato de teléfono—. ¡Este trasto es antediluviano! —masculló—. Cámbielo por uno de esos modelos que graban el número de quien está llamando. Con un poco de suerte tal vez con eso nos baste.

Tardó en haber suerte, pero al fin la hubo.

Una tarde sonó el teléfono y en el moderno aparato recién adquirido quedó marcado el número que llamaba desde Santiago de Chile.

El hijo de Víctor Benavides se lo comunicó de inmediato a Gaetano Derderian, quien a los cinco minutos se puso en contacto con su corresponsal en el país andino.

—Quiero saber a quién pertenece ese número —dijo—. Y sobre todo quiero que averigües a quién llama en París, o quién le llama desde aquí.

La respuesta llegó dos días más tarde, pero resultó en cierto modo decepcionante: el número al que llamaba y del que recibía frecuentes llamadas pertenecía a un teléfono móvil de tarjeta recargable, por lo que resultaba muy difícil de localizar.

Al día siguiente Gaetano Derderian se reunió a cenar con el matrimonio Lacroix en su fabulosa mansión de las orillas del Loire, y tras hacerles un detallado relato de cuanto había conseguido averiguar hasta el presente, concluyó evidenciando un cierto desánimo:

—La situación no deja de ser en cierto modo pintoresca. Sé quién ha cometido esos asesinatos, me consta que está en París y si quisiera podría hablar con él ahora mismo, pero no tengo ni la menor idea de qué nombre utiliza, dónde vive, qué aspecto tiene o a qué se dedica.

—No cabe duda de que en este caso la tecnología ha conseguido superarle —sentenció su anfitrión con una leve sonrisa irónica—. Pero debo admitir que está haciendo un magnífico trabajo. ¿Cuánto tiempo cree que tardará en atraparle?

—Lo ignoro, pero como por los prefijos sabemos que está en Francia, mi consejo es que se vaya una temporada al extranjero para no correr riesgos. Si por casualidad le siguiera, desde Chile nos lo comunicarían en cuanto el número de allí recibiera una llamada con otro prefijo.

—Bien pensado.

—Mientras no sospeche que sabemos su número y el de su amiga chilena siempre tendremos localizado el país en que se encuentra, con lo que usted estará a salvo. El resto no es más que cuestión de paciencia.

—¿Y a la policía no le resultaría posible localizarle rastreando sus llamadas a través de la compañía telefónica? —quiso saber Naima Fonseca que había escuchado con manifiesto interés la larga explicación.

—Naturalmente, querida —fue la respuesta de su marido—. Pero lo cierto es que prefiero que la policía no intervenga si no resulta imprescindible. Intento evitar que los hijos de Mathias, a los que vi nacer, pasen el mal trago de descubrir que su padre fue un canalla y tal vez un asesino. Todos confiábamos en él, y nada se consigue ensuciando públicamente su memoria.

—¿Pretendes insinuar que quien le asesinó, y que probablemente también asesinó a Claude Tabernier y quién sabe a cuántos más, puede quedar impune?

—Eso nunca, te lo garantizo. El día en que sepamos dónde está, alguien le hará una discreta visita y le ajustará las cuentas sin armar ruido puesto que al fin y al cabo oficialmente lleva muerto mucho tiempo.

Por los hermosos ojos color miel pasó un relámpago de furia en el momento en que su dueña inquirió con evidente acritud:

—¿Es así como sueles arreglar tus negocios?

—No, querida —fue la paciente respuesta—. No es así como suelo arreglar mis negocios, puesto que jamás hago este tipo de negocios. —Romain Lacroix extendió la mano y la colocó, con un gesto de profundo amor sobre la de ella—. Sabes bien que no presumo de santo, y que a menudo me veo obligado a hacer cosas de las que no me siento demasiado orgulloso, pero así es el mundo de unos negocios en los que si no machacas, te machacan. Te juro que este es un asunto en el que nunca hubiera querido verme involucrado, pero estoy metido hasta el cuello contra mi voluntad y debo intentar salir de él lo más discretamente posible.

—¿Enviando a un sicario a asesinar a un pobre hombre a quien tu mejor amigo había hecho todo el daño que se le pueda hacer a un ser humano?

—Le estafó, eso lo admito, pero nada más. Y si cada vez que alguien estafa a alguien, el perjudicado se tomara la justicia por su mano pegándole un tiro o arrojándole al Sena, te garantizo que en el mundo de las altas finanzas no quedaría nadie... —Ahora el francés se volvió a Gaetano Derderian para inquirir con intención—: ¿Es así o me equivoco?

—Me temo que por desgracia no se equivoca, aunque eso es algo que usted debe saber mejor que yo. —El brasileño hizo una pausa para añadir al poco—: Sin embargo hay algo que me gustaría pedirle.

—¿Y es?

—Que me permita hablar con ese hombre antes de ordenar que le maten.

—¿Para qué?

—Tal vez para darle una nueva oportunidad a alguien a quien arruinaron, le mataron a su única hermana y le dejaron lisiado de por vida a un cuñado que era además su mejor amigo.

—Pero que continuará siendo una amenaza mientras viva, puesto que nadie me garantiza que admita que no tuve nada que ver con su ruina, y mucho menos con un atentado del que, según usted, lo más probable es que sean culpables unos malditos terroristas.

—Si es tan inteligente como parece admitirá su error y todo habrá acabado.

—¿Y quién le devolverá la vida a Mathias, a Claude Tabernier o a los demás? —inquirió el francés con un tono de voz extrañamente duro en él—. ¿Cree que las cosas se arreglarán dándole una palmada en la espalda y rogándole que no continúe liquidando a sangre fría a todo el que considere que le ha hecho una trastada? —Apretó con fuerza la mano de su esposa—. ¿Lo crees tú?

—Yo prefiero no creer nada —señaló ella con visible amargura—. Cuando tenía once años y dormía en un rancho en el que casi cada noche te despertaban los gritos de una muchacha violada o un hombre acuchillado, o cuando comenzaba a llover tenías que prepararte para salir corriendo ante el temor de que el cerro entero se viniera abajo sepultándote en el fango, imaginaba haberlo visto todo, pero ahora comprendo que no es así, y que no bastan unos buenos cimientos, una casa segura y unas gruesas rejas cuando se interpone una ambición desmedida. Ni Mathias Barriere tenía necesidad de hacer lo que hizo, ni tú de hacer lo que haces, pero aquí estamos, cenando caviar y charlando sobre la conveniencia o no de ordenar que ejecuten a un infeliz al que ni siquiera conoces.

—¡Lo siento!

—Más lo siento yo que buscaba la paz y no la encuentro. Y lo peor del caso, es que llegué a entender a unos desgraciados a los que la ignorancia y la miseria arrastraba a la barbarie, pero no consigo entender a quienes la educación y la opulencia empuja de igual modo al desastre.

—¡Su mujer tiene razón! —sentenció extrañamente serio el pernambucano—. A decir verdad, siempre la tiene.

—¡Oh, vamos, Derderian, no me toque más los cojones! —protestó Romain Lacroix descargando un impaciente puñetazo sobre la mesa—. Son tal para cual y entre los dos acabarán por volverme loco. Lo único que Naima necesita es que usted la anime, y empiezo a temer que acabará por ayudarla a quitarme de en medio. ¿Sabía que está decidida a matarme con el fin de repartir mi fortuna entre los pobres?

—Algo me ha comentado.

—¿Y qué opina?

—Que como idea no es mala aunque arriesgada. No veo sencillo llevarla a cabo sin acabar en presidio.

—Me alegra oírlo, pero como de momento soy yo quien le ha contratado, le suplico que si se le ocurre una forma de liquidarme impunemente me lo haga saber para desheredarla antes de que lo intente.

Naima Fonseca, que escuchaba como si todo aquello no fuera con ella, extendió la mano, extrajo de su diminuto bolso un recorte de periódico y comenzó a leerlo con voz pausada:

—«El presidente de Nigeria, Olusegun Obasanjo confirmó hoy que ciento cincuenta niños que eran transportados ilegalmente en un buque con dirección a Gabón para ser vendidos como esclavos, murieron cuando navegaban por aguas del oeste africano.» —Alzó la mirada para clavarla en su esposo antes de continuar en idéntico tono monocorde—. «El pasado mes de abril el tráfico de niños esclavos centró la atención de los funcionarios de las Naciones Unidas, que constataron que los niños son vendidos por familias que no tienen medios con que alimentarlos, y que por lo general acaban trabajando en condiciones infrahumanas en las plantaciones de cacao de Gabón y Costa de Marfil o forzados a ejercer la prostitución en cualquier país del continente e incluso de la propia Europa.» —La venezolana dobló con sumo cuidado el recorte de periódico y se encaró casi agresivamente a su esposo para inquirir—: ¿Qué opinas de eso?

—Que ya lo sabía porque todo el mundo parece empeñado en recordármelo y que reconozco que se trata de una auténtica barbaridad de la que en cierto modo todos somos culpables. —Abrió las manos como pretendiendo evidenciar su impotencia—. Pero no veo por qué debo ser yo el que tenga que pagarlo con la vida.

—Porque alguien que se gasta tanto dinero en algo tan absurdo como tener cinco despachos idénticos en cinco lugares distintos del mundo, alegando que lo hace porque de ese modo todo le resulta más cómodo y más práctico puesto que así no tiene que pensar dónde está cada cosa, en unos tiempos en que se publican noticias como esta, merece que lo trituren en una maquinilla de picar carne y lo vendan como rellenos para «arepas».

—En eso puede que tengas razón —admitió con desconcertante seriedad su marido—. Pero continúo opinando que no deberías ser tú quien pensara en convertirme en carne para «arepas».

La hermosa muchacha lanzó un sonoro bufido:

—¡Esta es la conversación más «pendeja» que he tenido en mi vida! —masculló—. ¡Olvídame!

—Lo que no entiendo, y perdonen que me meta donde nadie me llama —intervino con cierta timidez Gaetano Derderian—, es por qué extraña razón continúan juntos si su forma de ver el mundo es tan diferente.

—Porque por desgracia no sabemos vivir el uno sin el otro —fue la rápida respuesta—. El gran problema es que de este mentecato me gusta todo, excepto su desmedida afición a ganar dinero. La única forma de conseguir quitármelo de la cabeza será enterrándolo.

—Pues en eso te gano —le hizo notar su marido—. Estoy convencido de que no te olvidaría ni aunque llevaras diez años bajo tierra. —Colocó la palma de la mano izquierda extendida y la derecha bajo ella en vertical, formando la clásica «T» que pretendía significar «tiempo muerto» en los partidos de baloncesto—. Te propongo una tregua —dijo sonriendo de un modo encantador—. Tú prometes que durante todo un año no vas a intentar matarme y yo te permito transformar el *Acuarius* en un barco hospital para que lo lleves adonde te apetezca. Y también te permito vender todas tus joyas para correr con los gastos.

La venezolana frunció el ceño como si estuviera sopesando una interesante propuesta económica, se atusó una y otra vez la nariz en un gesto exagerado y casi cómico, y por último asintió al tiempo que señalaba:

—Acepto si me das también el Van Gogh en caso de que Derderian lo recupere.

—¡Te estás pasando! —le hizo notar su marido, que se volvió al brasileño para inquirir—: ¡Por cierto! ¿Cuándo piensa devolverme el Van Gogh?

—Confío en que el sábado pueda colgarlo en el salón. No se preocupe, lo tenemos localizado y vigilado.

—De acuerdo —replicó el francés—. Propongo

un arreglo, si lo recupera antes de una semana será para Naima. Si tarda más, yo me lo quedo. —Se volvió hacia ella—. ¿Trato hecho?

—Trato hecho. —Los hermosos ojos color miel se clavaron en los del pernambucano al comentar—: Le advierto que como me falle, le corto las bolas.

—¡Están locos! —protestó el amenazado—. Completamente locos. Pero no se preocupe; le prometo que el sábado tendrá ese maldito cuadro aunque tenga que robarlo personalmente.

—Y yo le prometo que si cumple su palabra uno de los orfanatos que construya con ese dinero llevará su nombre.

—¿Y esa «vaina»? —se lamentó el francés—. ¿O sea que piensas construir un orfanato con un dinero que al fin y al cabo sale de mi bolsillo y en lugar de ponerle mi nombre, le vas a poner el de alguien que se limita a robar mi propio cuadro? ¡Manda cojones!

—¡Querido…! —fue la tranquila respuesta—. Si tanto te apetece la idea de que un orfanato lleve tu nombre, vende esa «piche» escudería de mierda que no te da más que disgustos y constrúyete uno…

Erika Freiberg había pasado años atrás de los cuarenta, pero continuaba siendo una mujer muy atractiva, de largos cabellos dorados, que se recogía en un elegante moño, ojos increíblemente azules, ademanes exquisitos y una estudiada parsimonia en su forma de hablar y comportarse, tal como correspondía a la viuda de un embajador que se había codeado desde siempre con lo más granado de la alta aristocracia europea.

Retirada hacía ya mucho tiempo en su preciosa mansión a orillas del lago Leman, justo a las afueras de Lausana, dedicaba la mayor parte de su tiempo al cuidado de un gigantesco invernadero y de su afamada colección de reproducciones de cuadros famosos que permitía admirar al público una vez por semana, concretamente los jueves por la tarde.

Cuando eso ocurría abandonaba la casa principal, dedicándose en exclusiva a podar y cuidar sus rosas, sin permitir que nadie la molestara, por lo que se sorprendió desagradablemente la tarde en que alzó el rostro para encararse al de un desconocido que la observaba sonriente.

—¿Qué hace aquí? —inquirió molesta—. Los visitantes no tienen derecho pasar de la puerta posterior.

—Lo sé —fue la respuesta—. Pero necesitaba hablar a solas con usted.

—¿Sobre?

—Sus cuadros.

—No hay mucho que decir —señaló la elegante dama disponiéndose a volver a su trabajo—. Gustan o no gustan.

—A mí me gustan —admitió con una encantadora sonrisa Gaetano Derderian Guimeraes—. Supongo que para muchos carecen de valor por el hecho de tratarse de simples reproducciones, pero lo cierto es que son magníficos, y a veces cuesta admitir que no sean auténticos.

—En ese caso le aconsejo que vuelva a disfrutar de ellos puesto que dentro de una hora se cierra la exposición, y como puede ver yo tengo mucho que hacer.

—Como guste, pero antes de irme quiero advertirle que en cuanto los visitantes se marchen hará su aparición un camión blindado en el que se llevarán, no sus hermosas reproducciones, claro está, sino únicamente las telas que se ocultan tras cada una de ellas.

Las manos de Erika Freiberg temblaron, las pesadas tijeras de podar estuvieron a punto de escapársele de entre los dedos, y tras un visible esfuerzo en el que se advirtió que tragaba saliva, balbuceó:

—¿Qué ha pretendido decir con eso?

—Que tiene usted dos opciones: la primera, telefonear a la policía y tratar de explicarle por qué razón al girar cada cuadro y apartar la tabla que lo cubre, hace su aparición una valiosa tela original, robada en algún lugar del mundo. La segunda, quedarse aquí podando rosas, a sabiendas de que sus amadas reproducciones se quedarán donde están y podrá continuar disfrutando de ellas hasta el fin de sus días.

—¿Y quién es usted?

—Alguien que no tiene interés en permitir que una encantadora dama pase diez años entre rejas siempre que dicha dama se comprometa a no continuar jugando a creerse Arsenio Lupin.

—¿Y qué piensa hacer con esos cuadros?

—Devolvérselos a sus dueños, claro está.

—¿Quién me lo garantiza?

El brasileño extrajo de su cartera una tarjeta de visita que colocó junto a la maceta en que ella trabajaba.

—Aquí tiene mi nombre y dirección. En caso de que dentro de una semana esos cuadros no estén donde deben, no tiene más que avisar a la policía.

—Gaetano Derderian Guimeraes —exclamó la elegante mujer, a la que se advertía desolada—. ¡Vaya por Dios! También es mala suerte. He oído hablar de usted. ¿Qué le impulsó a dejar el ajedrez?

—Se había vuelto monótono y se ganaba poco.

—¡Lástima! Si hubiera llegado a campeón yo continuaría siendo feliz unos cuantos años más.

—Pronto o tarde alguien hubiera acabado por descubrirla —replicó su incómodo visitante con absoluta naturalidad—. Y probablemente no se comportaría de un modo tan, digamos, «civilizado».

—¿Cómo ha dado conmigo?

—Siguiendo un método que suele darme magníficos resultados: buscar donde nadie busca porque se les antoja demasiado obvio. —El brasileño abrió las manos como si estuviera tratando de disculparse por su atrevimiento—. Pero lo cierto es que me ayudó mucho el haber visitado anteriormente su galería, así como recordar un caso que estuvo a punto de volverme loco. Un alto ejecutivo inglés le había robado a su empresa cinco millones de libras, pero no había forma de demostrarlo ni de encontrar el dinero. Todo el mundo buscaba una maleta llena de billetes pero el muy hijo de perra se había entretenido en empapelar con ellos el techo de su apartamento, pintando luego encima.

—Estropearía el dinero.

—La pintura era lavable. Y lo que en verdad excitaba a aquel chiflado no era la posibilidad de gastarse el dinero, sino el hecho de tumbarse en la cama a mirar el techo sabiendo que estaba allí. —Gaetano Derderian agitó una y otra vez la cabeza como si no acabara de creerse la pintoresca situación—. Usted me lo recuerda —añadió por último—. ¿Por qué lo ha hecho?

La elegante mujer, que recuperaba la calma a medida que llegaba a la conclusión que de momento no iría a dar con sus huesos en la cárcel, se limitó a encogerse de hombros.

—Me aburría —replicó—. Y me molestaba que el arte se hubiera convertido en un sucio negocio. Hoy en día la gente invierte en cuadros como quien invierte en vacas o en la bolsa. Los cuadros son para admirarlos, no para guardarlos en una caja fuerte como si se tratara de bonos del Estado. Si me ha investigado a fondo supongo que sabrá que jamás he robado en ningún museo.

—Ni en ninguna iglesia, lo sé.

—Mis víctimas han sido siempre particulares para los que esos cuadros no significaban más que dinero.

—Tal vez por eso no pienso denunciarla, y si me lo permite, admitiré que la considero increíblemente inteligente. Algunos de sus trabajos son auténticas obras de arte en sí mismas.

—Gracias, pero entenderá que en estos momentos sus palabras no me sirven de excesivo consuelo.

—¿Y qué piensa hacer ahora que ya no puede continuar maquinando robos?

—Cuidaré mis rosas.

—¿Le interesaría unirse a mi equipo?

Erika Freiberg observó a su interlocutor temiendo que se hubiera vuelto loco, lanzó una especie de resoplido, negó una y otra vez con la cabeza como desechando una idea absolutamente descabellada, pero de improviso inquirió:

—¿Haciendo qué?

—Atrapando ladrones, desenmascarando estafadores y encerrando asesinos… —Sonrió esta vez de oreja a oreja—. Cosas todas ellas mucho más divertidas que cuidar de un invernadero. Le garantizo que una mujer con su clase, su educación y su astucia se adaptaría muy bien a mis necesidades.

—¿Usted cree?

—No se lo propondría si no estuviera convencido de ello.

—¿Se gana mucho?

—Más que robando cuadros que nunca puede vender.

—Eso es muy cierto, porque debo admitir que esta absurda afición me estaba llevando a la bancarrota. Mi marido, que en paz descanse y el Señor tenga en su gloria, me dejó bien situada, pero eso de robar cuadros se estaba poniendo más caro cada día. —Los azules ojos brillaron con una extraña alegría—. ¿Me está proponiendo algo así como ser espía?

—Investigador privado, diría yo.

—¿Y tendría que irme a la cama con alguien?

—Únicamente cuando le apeteciera.

—Eso está muy bien. ¿Conoce la Puerta de Oro?

—No.

—Es el mejor restaurante de la región. Invíteme a cenar y tal vez consiga convencerme.

—Queda invitada. ¿Qué pasa con los cuadros?

—¿Y qué quiere que le diga? ¡Lléveselos! Al fin y al cabo me quita un peso de encima porque últimamente vivía con el temor de que pudieran robármelos o un incendio acabara con ellos. No estoy en situación de invertir lo que se necesita para protegerlos debidamente.

—¡De acuerdo entonces! ¿A qué hora la paso a recoger?

—A las nueve. Yo reservaré; el dueño es amigo mío.

Cenaron, bebieron, bailaron e hicieron el amor como dos adolescentes, porque en cuanto se tomaba un par de copas de más la recatada y modosa viuda del embajador se transformaba en una rubia desmelenada, fogosa y divertida, a la que encantaba retozar de noche sobre la hierba del jardín y bañarse desnuda en el lago.

Por la mañana gimoteó y se enjuagó unas furtivas lágrimas al visitar la galería y comprobar que había perdido en cuestión de horas «el fruto de años de arduo trabajo», pero se consoló al escuchar de labios de su recién estrenado y satisfactorio amante las incontables posibilidades que se le presentaban de poner en práctica sus reconocidas habilidades «organizativas».

—El mundo está necesitado de imaginación y a ti te sobra. Por lo tanto empieza a pensar en la forma de atrapar a un asesino del que lo único que sabemos es el número de un teléfono móvil que no aparece registrado en ninguna parte.

—¡Cuéntame la historia con más detenimiento!

—suplicó— Antes de empezar a diseñar un plan de trabajo me gusta conocer hasta el último detalle.

Almorzaron en un coqueto pabellón, muy cerca del agua, y mientras lo hacían, disfrutando en especial de unos excelentes vinos de los que al parecer existía una gigantesca reserva en las enormes bodegas de la casa, Gaetano Derderian le puso al corriente de una parte, aunque no todo, de cuanto había conseguido averiguar durante aquellos últimos meses.

—¡Curioso! ¡Muy curioso! —no pudo por menos que reconocer Erika Freiberg mientras concluía de saborear un gigantesco helado de limón, ya que reconocía ser viciosamente golosa—. Me recuerda la historia del fantasma de la ópera.

—¿De quién?

—De *El fantasma de la ópera*. ¿No viste la película? A un compositor le roban una partitura que había tardado años en concluir, y cuando reclama sus derechos acaba abrasado, desfigurado y convertido en un monstruo que vive en los sótanos del palacio de la Ópera de París.

—¡Sí, claro! —admitió el brasileño—. Ahora me acuerdo. Es un clásico de la literatura, pero reconozco que no había reparado en las coincidencias.

—Pues resulta evidente que a tu hombre le han robado su idea, le han destrozado la vida, e incluso se ha tenido que cambiar la cara, por lo que no es de extrañar que intente vengarse dejando caer la gigantesca araña central del teatro sobre la cabeza de unos inocentes espectadores que se limitaban a disfrutar de su música sin saber que le ha sido robada.

—Una comparación bastante acertada.

—¡Una vez más la vida imita al arte! —sentenció la viuda del embajador evidentemente feliz consigo misma—. ¡Me encanta! Resulta fascinante que la vida real nos proporcione situaciones como esta. Por un lado un fabuloso «Río de la Paz»; por el otro una alternativa económica y ecológica a un proyecto de trasvase demasiado peligroso. Dos ideas magníficas, pero que a su creador no le conducen directamente a la gloria y la fortuna, sino a convertirse en un pobre paria que además asesina a quien no debe. ¡Insisto en que me encanta!

—Pues yo le veo maldita la gracia —se vio obligado a señalar con marcada acritud su desconcertado interlocutor—. Le está costando la vida a mucha gente.

—Lo sé y lo lamento. Y sobre todo lamento que ese pobre hombre esté viviendo un calvario, pero su historia es un claro ejemplo de cómo el mundo se ha vuelto del revés y nadie sabe muy bien hacia qué punto cardinal señala la brújula. Ni el norte está ya en el norte, ni el este enfrente del oeste.

—Muy geográfica te veo —señaló su acompañante con innegable ironía.

—No te lo tomes a broma —replicó Erika Freiberg—. Aunque cuando robo cuadros o hago el amor no lo parezca, soy profundamente católica, y recuerdo que cuando cayó el muro de Berlín el Papa advirtió que el mundo no se dividiría ya entre buenos y malos, sino entre pobres y ricos. Señaló que una tercera parte de los seres humanos tenían acceso a la riqueza, pero que a dos terceras partes les estaba negado dicho acceso, y que si bien antes los desheredados se volvían hacia el comunismo buscando una respuesta a sus necesidades, con su práctica desaparición quedaba un hueco que rellenar.

—En eso, y sin que sirva de precedente, estoy de acuerdo con el Papa —admitió de mala gana Gaetano Derderián.

—Él ha pretendido que la Iglesia católica ocupe

ese espacio —continuó la rubia sin prestar atención al comentario—. Pero lo cierto es que no lo ha conseguido, puesto que la mayoría de los obispos y cardenales se han preocupado más de mantenerse cerca de las clases pudientes, que de compartir la miseria de los eternos olvidados. Al Papa le preocupaba que esos que nada poseen y nada esperan acabaran eligiendo el camino de la violencia más radical, y ahora vemos que sus predicciones se están cumpliendo.

—Me sorprendes —admitió el pernambucano—. Siempre creí que tus únicas preocupaciones eran los Van Gogh, los Rubens y los Velázquez.

—Te recuerdo que estuve casada, durante casi veinte años, con un diplomático de excepcional cultura, del que aprendí muchas cosas, entre ellas, que hasta que los israelitas no se libren de una vez por todas de su pasado y comiencen a encarar el futuro sin rencores, el mundo no conseguirá disfrutar de una paz duradera.

—No creo que se les deba culpar por lo que ocurre.

—Y no les culpo. Tan sólo digo que constituyen uno de los muchos problemas actuales. El pasado conviene recordarlo para no repetirlo, pero conviene evitar repetirlo para no recordarlo. —Erika Freiberg extendió la mano y le acarició amorosamente la mejilla al añadir—: Y ahora concentrémonos en lo que en verdad importa: localizar a ese hombre… ¿Alguna idea?

—Una en concreto —replicó él—. Y admito que en parte te la debo a ti.

—Eso me halaga. ¿Y es?

—Que si la memoria no me falla, el fantasma tan sólo abandonaba las catacumbas y se mostraba a la luz cuando en el teatro sonaban los acordes de su música.

—Eso sí que no lo recuerdo.

—¡Haz un esfuerzo! ¿Es cierto o no que aquellas notas le atraían como un imán y le dejaban como traspuesto, ya que tenían la virtud de devolverle a unos tiempos en los que era un joven lleno de entusiasmo al que aún no habían convertido en un monstruo?

—Aunque así fuera —admitió la luxemburguesa que no conseguía seguir el hilo de sus pensamientos—. ¿Qué tiene eso que ver con el tema que ahora nos ocupa?

—Mucho, porque si como hemos visto en ocasiones la vida imita al arte, no debemos desechar la idea de que algunos seres humanos imiten a los personajes de ficción.

—Creo que veo por dónde pretendes ir. ¿Cuál es tu plan?

Cuando Gaetano Derderian hubo concluido de exponerlo, su acompañante permaneció largo rato meditabunda, observando los balandros que se deslizaban mansamente sobre las quietas aguas del lago, y por último asintió repetidas veces antes de comentar:

—Tienes una mente retorcida.

—No más que la tuya. Yo acostumbro a analizar las ideas y en ocasiones les doy la vuelta. Tú las exprimes para conseguir extraerles hasta la última gota de veneno.

La mujer arrugó la nariz en un cómico gesto.

—¿Debo tomarlo como censura o como cumplido?

—Eso depende. ¿Qué era más importante para ti cuando robabas un cuadro, la alegría por haberlo conseguido o los remordimientos por haber obrado mal?

—¿Remordimientos? —Se escandalizó ella—. ¿De qué demonios hablas? Yo sentiría remordimientos por quitarle una pelota a un niño o un pedazo de pan a un pordiosero, pero no un Rubens a un cretino que lo cuelga en el salón para que todo el mundo sepa lo importante que ha llegado a ser en esta vida. Y ahora déjate de cháchara que nos espera una dura tarea. Cuando se levante el telón todo tiene que ser perfecto.

Quince días más tarde, los periódicos parisinos publicaron la noticia de que en la tarde del próximo viernes se rendiría un homenaje a la memoria del trágicamente desaparecido Mathias Barriere, autor del magno proyecto de desalación conocido como «Río de la Paz», que la Corporación Acuario & Orión estaba construyendo en Jordania. La entrada era libre, y por medio de una gigantesca maqueta el público asistente podría estudiar cómo funcionaba el ingenioso sistema.

Dicha maqueta, instalada en los jardines de un lujoso restaurante del Bois de Boulogne era en verdad, perfecta.

De casi diez metros de largo por cinco de ancho, reproducía, con sorprendente realismo y pulcritud cada detalle del desértico paisaje, del mar Rojo, Akaba, Eliat, las multicolores montañas de Wadi Run y el mar Muerto, puesto que los mejores artesanos de unos estudios cinematográficos habían trabajado día y noche, basándose en los planos existentes, así como en docenas de fotografías aéreas que habían llegado directamente desde Amman.

El agua del mar Rojo era auténtica agua de mar, la del mar Muerto auténtica salmuera nueve veces más densa, y la que surgía de las membranas de ósmosis inversa, auténtica agua dulce que una amable azafata invitaba a beber a los presentes.

Unas trescientas personas, en su mayoría ingenieros y miembros de los medios de comunicación, prestaban atención a las amenas explicaciones de un técnico que daba muestras de conocer hasta el último detalle de cómo funcionaba el ingenioso sistema de transformar el agua de mar en agua dulce, y tras los lógicos comentarios y las pertinentes aclaraciones, el vicepresidente segundo de la Corporación Acuario & Orión ascendió al pequeño estrado que se alzaba en un rincón, ajustó la altura del micrófono que tenía delante y suplicó a los asistentes que guardaran silencio.

Poco a poco el murmullo de las conversaciones fue decayendo.

Cuando al poco tiempo cabría asegurar que podría escucharse el zumbido de una mosca, el vicepresidente hizo ademán de dar comienzo a su discurso, pero le interrumpió el ahogado repiquetear de un teléfono móvil.

El improvisado maestro de ceremonias torció el gesto mostrando un evidente desagrado y aguardó visiblemente impaciente a que el propietario del inoportuno aparato, un hombre de chaqueta oscura que ocupaba una de las últimas filas lo extrajera del bolsillo para apresurarse a desconectarlo balbuceando nerviosamente algo ininteligible.

Solucionado el problema, el vicepresidente disculpó la forzada ausencia de Romain Lacroix, alegando que había tenido que salir de viaje urgentemente, y pronunció un corto pero encendido panegírico en torno a la figura del visionario Mathias Barriere, que había sido capaz de concebir e impulsar hasta el día de su prematura muerte la obra de ingeniería más ambiciosa de los últimos tiempos.

Una vez concluida la breve ceremonia se sirvió

una copa de vino y se obsequió a cada asistente con un llavero de plata y un libro lujosamente editado que ponía de manifiesto la importancia que tendría para el futuro de Oriente Medio el nunca suficientemente bien ponderado «Río de la Paz».

Quince minutos más tarde, el hombre de la chaqueta oscura al que le había sonado el teléfono tan a destiempo, se alejó sin prisas para ir a tomar asiento en la terraza de un bar cercano, pedir café y concentrarse en la contemplación del libro que le habían regalado, y cuya primera página se encontraba ocupada por la foto de un Mathias Barriere distendido y sonriente.

Al poco pareció percatarse que quien se encontraba en pie a su lado no era el camarero, y girando el rostro alzó la vista hacia el desconocido que parecía estar muy interesado observando el libro por encima de su hombro.

Ante su mudo, y en cierto modo malhumorado gesto de interrogación, el otro quiso saber:

—¿Qué se experimenta al constatar que un miserable usurpa el lugar que en justicia nos pertenece?

—¡Perdón! —inquirió desconcertado—. ¿Cómo ha dicho?

—Pregunto por lo que siente al contemplar la fotografía de un ladrón donde debería estar la suya.

—No tengo ni idea de lo que me está hablando —replicó el hombre de la chaqueta oscura sin inmutarse.

Gaetano Derderian tomó asiento sin molestarse siquiera en pedirle permiso.

—Sí que lo sabe —replicó—. Ese «Río de la Paz» es una invención suya, pero tiene que resignarse ante la incuestionable evidencia de que unos canallas se la robaron.

—Está usted loco.

—Lo estaría si no abrigara el convencimiento de que estoy sentado frente al supuestamente difunto —y no reconocido— creador de un magno proyecto de desalación por presión natural que no consume energía puesto que aprovecha la gran depresión del mar Muerto.

Su interlocutor aguardó hasta que el camarero que le acababa de servir el café se alejara, extrajo del bolsillo una diminuta pastilla y comenzó a revolverla en su interior con sorprendente parsimonia.

Cuando pareció que no iba a volver a hacer comentario alguno, se decidió a inquirir roncamente:

—¿Cómo me ha encontrado?

—Con mucha paciencia, mucho esfuerzo, algo de suerte y un número de teléfono.

—¿Martina?

El brasileño asintió con la cabeza.

—Su buena amiga Martina Acevedo, en efecto, pero puede estar tranquilo; no le ha traicionado pese a que fuera a través de su cuenta de teléfonos como conseguimos averiguar el número del que lleva usted en el bolsillo.

—¿Y han montado todo ese tinglado y toda esa parafernalia para atraparme? —Ante el mudo ademán de asentimiento torció el gesto para comentar—: ¡Qué estupidez! Le hubiera bastado con una simple llamada y yo le hubiera contestado a cuanto necesitaba saber.

—¡No me haga reír! ¿Qué hubiera dicho si al responder a la llamada una voz desconocida le comunicara que le han descubierto, pero que no saben cómo se llama, dónde vive o qué aspecto tiene?

—Hubiera dicho que mi nombre es Robert Baltez, vivo en la avenida de las Fuerzas Armadas, y mi aspecto es de lo más vulgar y muy propio de un hombre de mi edad.

—¿Y qué hubiera hecho a continuación? —quiso saber el brasileño—. ¿Salir corriendo?

—¡En absoluto! —fue la escandalizada respuesta del español al tiempo que se llevaba la taza a los labios—. Hubiera hecho exactamente lo que estoy haciendo: tomarme un café.

—¿Aun a sabiendas de que le podían acusar de varios crímenes?

—Precisamente por eso.

—¿Acaso pretende hacerme creer que no cometió los asesinatos que sospecho que ha cometido?

—¡En absoluto! —replicó con cada vez más sorprendente flema su interlocutor—. Naturalmente que los cometí. Admito que vendí cuanto tenía, fingí mi propia muerte, me operé, cambié de identidad, vine a París, compré la empresa que poseía el contrato de limpieza de las oficinas de la Corporación Acuario & Orión, y de ese modo conseguí las llaves de todas las puertas de todos sus despachos.

—¡Muy astuto! —no pudo por menos que reconocer Gaetano Derderian—. ¿O sea que a través de los empleados de la limpieza de la corporación, que eran a la vez sus propios empleados, tenía libre acceso al edificio y podía manipular incluso sus sistemas informáticos?

—Advierto que lo ha entendido a la primera. Con demasiada frecuencia la gente olvida que el camino más recto suele ser el más corto y más rápido. Algunas noches me enfundaba un mono de mi empresa y me daba una vuelta por los Campos Elíseos a «supervisar» el trabajo de mis empleados, lo cual propició que a estas alturas conozca hasta el último de los secretos de quienes me arruinaron.

—Lo dudo —sentenció convencido de lo que decía el brasileño—. Existen por lo menos dos secretos, que no conoce. Y los dos se relacionan con usted.

—¿Y son?

—El primero que el presidente de la corporación, Romain Lacroix, nunca estuvo al corriente de la sucia jugarreta que le había preparado Mathias Barriere, ya que de haberlo sabido jamás lo hubiera permitido.

—No le creo, pero eso es algo que carece de importancia a estas alturas. ¿Cuál es el segundo?

—Que la bomba que mató a su hermana y convirtió en un inválido a su cuñado no se puso por orden de ningún miembro de la corporación.

—¿Ah, no? —inquirió el hombre de la chaqueta oscura en tono de absoluta incredulidad—. ¿Quién coño la puso entonces?

—Terroristas.

—¿Terroristas? —repitió el otro en tono de profunda incredulidad—. ¡Usted está chiflado! ¿Qué tienen que ver conmigo los terroristas?

—Mucho más de lo que se imagina.

—¿Y eso por qué? Jamás me he metido en política.

—No hace falta ser político para «meterse en política» —le hizo notar Gaetano Derderian que se estaba adueñando poco a poco del rumbo de la conversación—. Basta con que tus intereses interfieran o perjudiquen a los de cualquier político o amigo de político, y esa fue su primera gran equivocación.

—¡Explíquese mejor!

—No hace falta. Lo entenderá si se detiene a reflexionar sobre el escaso daño que podían causar ustedes dos a una poderosísima multinacional, como es la corporación que nos ocupa, por el simple procedimiento de presentar una demanda judicial que difícilmente prosperaría, porque usted y yo sabemos que cuenta con un ejército de abogados que se conocen todas las triquiñuelas de la ley.

—Escaso daño, en efecto —reconoció el otro—. Cien veces se lo dije a Víctor, pero insistió alegando que debíamos agotar los caminos de la legalidad. Cuando me enfado tengo muy mal carácter, pero él siempre conseguía refrenarme.

—¡Ya! Ya he oído hablar de su carácter —admitió el pernambucano—. Pero sigamos con lo que nos ocupa. Me consta, que de haber continuado con la demanda, hubieran obtenido una pequeña compensación económica para hacerles callar —apuntó directamente con el dedo a quien se sentaba frente a él—. Pero ahora pregúntese qué gigantesco daño causaban a mucha gente ofreciendo una alternativa razonable al controvertido y costosísimo trasvase del río Ebro, que tiene asignado ya un presupuesto multimillonario.

«El difunto» Germán Santana apuró hasta el fondo su taza de café, dejó la cucharilla a un lado, buscó un cigarrillo, y en el momento de encenderlo resultó evidente que el pulso le temblaba.

Exhaló una columna de humo, respiró como si hacerlo le costase un gran esfuerzo y musitó:

—¿Pretende que acepte que el origen de todo el problema no nació en Jordania sino en España?

—Más o menos...

—¿Y que todo lo que he hecho ha sido una estupidez?

—Más o menos...

—¿Y que me he precipitado a la hora de matar a quien no debía?

—Más o menos...

—¡Dios santo! ¿Y qué pruebas tiene?

Gaetano Derderian sacó del bolsillo interior de su chaqueta una serie de folios cuidadosamente doblados y los dejó sobre la mesa.

—¡Estas! —dijo—. El acuerdo que Barriere pensaba proponerles si continuaban dando la lata. A la Corporación Acuario & Orión nunca se le pasó por la cabeza la idea de atentar contra su vida.

El español ojeó brevemente los documentos para dejarlos otra vez en su sitio, pero su oponente insistió:

—Tómese el tiempo que quiera para estudiarlos. Le garantizo que son auténticos.

—Tiempo es lo único que no me queda, amigo mío —fue la extraña respuesta—. Por lo tanto asumiré que es usted un hombre honrado y que dice la verdad. —Fumó despacio, con delectación, aspirando muy hondo y entrecerró los ojos, al añadir—: En cierta ocasión un amigo me dijo: «Si pretendes calibrar el éxito o el fracaso de tus inventos, no te preguntes nunca a quién beneficiarán. Pregúntate a quién perjudicarán, puesto que del poder de aquellos a quienes afecte en sus intereses dependerá que prosperen o no».

—No cabe duda de que su amigo era un hombre inteligente y que tenía los pies en la tierra.

—Así es, pero yo no supe seguir su consejo y me dediqué a inventar cosas que perjudicaban a los bancos, las constructoras e incluso por lo visto hasta a los etarras.

—Al decir etarras no tiene por qué limitarse a un determinado grupo terrorista. Puede ser cualquier otro, incluso unos extremistas islámicos que exijan la liberación de uno de sus líderes encarcelados, simples extorsionistas profesionales a los que se pensaba servir en bandeja un manjar exquisito.

De improviso, y casi sin venir a cuento, el hombre de la chaqueta oscura alzó la vista que había clavado en el fondo de su taza para inquirir:

—¿Ha leído a don Miguel de Unamuno?

—¡Algo! No demasiado, lo admito.

—Fue un gran pensador que dijo muchas cosas importantes de las que ya casi nadie se acuerda. Pero al parecer en cierta ocasión dijo una tremenda majadería: «¡Que inventen ellos!», y esa es la única de sus frases que mis compatriotas repiten casi a diario, porque es la que mejor expresa el desprecio que sienten por todo aquello que significa novedad y por lo tanto no entienden. —Sonrió con infinita tristeza—. No cabe duda de que nací en el país equivocado en el momento equivocado, y eso me ha llevado a morir en el país equivocado y en el momento equivocado.

—¿A qué viene eso?

—A que supongo que para un inventor siempre será mejor ser francés y morir en España, que ser español y morir en Francia… —Extrajo del bolsillo un pasaporte de la Comunidad Económica Europea que colocó junto a la taza de café—. ¡Lléveselo! —suplicó—. Constituye la única pista que podría ayudar a la policía a descubrir mi verdadera identidad, y lo único que le ruego es que procure que el mundo siga creyendo que Germán Santana murió en un accidente en altar mar. Siempre resultará mucho más noble que haber aparecido envenenado, con otro rostro y documentación falsa, en un perdido bar del Bois de Boulogne.

Gaetano Derderian Guimeraes dio un respingo y de pronto pareció caer en la cuenta de la auténtica razón de la incómoda sensación de peligro que experimentaba desde hacía ya unos minutos, e indicó con un ademán de la barbilla la taza de café al tiempo que inquiría casi con un lamento:

—¿Me está queriendo decir que esa pastilla no era de sacarina?

—No, no lo era —replicó el español como sin darle importancia—. Dentro de unos minutos todo habrá acabado plácidamente y sin dolor.

—¿Acaso imaginaba que…?

—No se preocupe —le tranquilizó—. No es culpa suya. Siempre estuve preparado para el caso de ser descubierto, pero ahora al conocer la verdad, más aún. Tal vez hubiera sido capaz de soportar una larga condena por haber cometido esos asesinatos empujado por un natural deseo de venganza, pero no creo que la hubiera soportado por haber cometido esos asesinatos por pura estupidez.

—Se está juzgando muy duramente.

—Si no lo voy a hacer cuando apenas me quedan unos minutos de vida, ¿para cuándo voy a dejarlo? —replicó Germán Santana al tiempo que hacía un significativo gesto señalando el final del paseo—. Y ahora es mejor que se marche —dijo.

—No me asusta la visión de la muerte.

—Lo supongo, pero ni a usted ni a mí nos conviene que se vea mezclado en un asunto tan desagradable, y en el que se vería obligado a dar demasiadas explicaciones. A lo único que aspiro ya, es a convertirme en un cadáver anónimo en una tumba anónima de un cementerio anónimo.

La lividez del rostro de su interlocutor hizo comprender a Gaetano Derderian que nada podía hacer por él, por lo que se limitó a erguirse recogiendo sin prisas los documentos y el pasaporte.

—¿Quiere que le cuente la verdad a su cuñado? —inquirió.

—¡No, por favor! Prefiero que siga pensando que era un buen tipo incapaz de hacer daño a nadie pese a que en ocasiones demostraba tener muy mal carácter.

—Me hubiera gustado conocerle en otras circunstancias.

El otro le dirigió una beatífica sonrisa que parecía indicar que empezaba a encontrarse fuera de control.

—¡No lo crea! —musitó con un hilo de voz—. En circunstancias normales solía ser muy aburrido ya que únicamente hablaba de física, química, matemáticas y cosas parecidas. ¡Un verdadero plasta! ¡Por favor! —suplicó de nuevo—. ¡Márchese de una puñetera vez, que esto se acaba!

El brasileño hizo un leve gesto de despedida con la mano y dando media vuelta se alejó hasta donde Erika Freiberg le aguardaba sentada en un banco a unos trescientos metros de distancia.

Se acomodó a su lado y permanecieron muy quietos y en silencio, cogidos de la mano.

La tarde de comienzos de septiembre era agradable y el hermoso parque aparecía repleto de animación, con niños que jugaban, perros que corrían y gente que charlaba.

Pasaron muy lentos varios minutos antes de que el hombre que acababa de apagar la colilla de su cigarrillo inclinara la cabeza dando la impresión de que se había quedado dormido.

La pareja que le observaba abandonó el lugar y mientras se perdían de vista entre los árboles, Gaetano Derderian comentó con amargura:

—Este es uno de esos días en los que me asalta la desagradable sensación de que he elegido un trabajo de mierda.

A la mañana siguiente uno de los aviones privados de la Corporación Acuario & Orión trasladó a Gaetano Derderian a Nueva York, donde el matrimonio Lacroix le esperaba para cenar en la terraza de su nuevo apartamento; un gigantesco dúplex acristalado desde el que se dominaba Central Park a vista de pájaro.

Al dueño de la casa se le advertía feliz y relajado, satisfecho no sólo por el hecho de estar disfrutando de su nueva y lujosa vivienda, haber recuperado un valioso cuadro, o saber que quien le amenazaba de muerte había desaparecido para siempre, sino sobre todo por el hecho de que al día siguiente esperaba firmar uno de los contratos más importantes de su vida.

—«Petróleo sólido» —musitó en voz muy baja a la hora de los postres y mirando de reojo a todas partes como si alguien pudiera estarle espiando en el comedor de su propia casa—. El gran negocio del futuro.

—¿«Petróleo sólido»? —repitió casi en el mismo tono el desconcertado brasileño—. ¿Qué es eso? ¿Una especie de asfalto?

—En absoluto. Es como un plástico moldeable y que ni ensucia, ni se disuelve. Se somete al crudo que sale directamente del pozo a un proceso químico que lo convierte en una especie de goma que se puede transportar como una carga cualquiera, ya que ni siquiera arde con facilidad. Luego, al llegar a su destino se invierte el proceso y el petróleo recupera todas sus propiedades naturales.

—¿Y eso para qué sirve?

—Para evitar las mareas negras, los derrames en los ríos, o las playas cubiertas de alquitrán. Si el barco en que viaja se hunde, el petróleo sólido flota como un pedazo de madera sin desprender ni tan siquiera una partícula contaminante, por lo que se puede recuperar como si se tratara de un tronco a la deriva. A partir de ese día ya no serán necesarios los gigantescos buques-tanque, los largos oleoductos, ni los camiones cisternas, porque el producto se transportará en trenes o en camiones.

—Parece interesante —admitió Gaetano Derderian Guimeraes tras pensar en ello unos instantes—. Sobre todo desde el punto de vista ecológico.

—¡Esa es la gran baza! —recalcó el francés, al que se advertía realmente entusiasmado—. ¡No más vertidos contaminantes! ¡No más aves marinas, peces o focas muertas! ¡No más petroleros embarrancados! ¡No más playas negras y hediondas!

—¿Y cómo se consigue?

—Por un proceso electroquímico bastante complejo y aún demasiado costoso, pero estoy convencido de que lograremos abaratarlo hasta el punto de que resulte rentable. En ese momento conseguiremos que ni un solo barril cambie de lugar sin haber sido previamente solidificado.

Naima Fonseca se decidió a intervenir, y el tono

de su voz mostraba la magnitud de su escepticismo:

—El problema —dijo— es que de momento el barril de petróleo cuesta veintiocho dólares y solidificarlo más de veinte. Y sinceramente, querido, dudo mucho que algún día se consiga reducir esos costes ni tan siquiera a la mitad. Estoy de acuerdo en que hay que intentarlo, pero creo que eso es un deber de los gobiernos, no de la empresa privada. Mi impresión es que en este asunto puedes perder hasta la camisa.

—No me animas mucho.

—Desde luego que no, pero es tu dinero y admito que prefiero que lo gastes en eso, que en coches de carreras o futbolistas, pero me dolería que el exceso de ambición te nublara el juicio. Las compañías petroleras han invertido sumas fabulosas en unos sistemas que les rinden increíbles beneficios, y me sorprendería que permitieran a un advenedizo que les moviera el árbol con la disculpa del ecologismo. A sus accionistas la ecología se la trae floja, y hasta que no hayan rentabilizado hasta el último centavo que hayan invertido en oleoductos o petroleros, no te permitirán que les incordies.

Romain Lacroix se volvió a su invitado:

—¿Usted qué opina? —quiso saber.

—No lo sé. ¿Cuánto tiene que invertir?

—Unos quinientos millones.

El otro emitió un sonoro silbido de admiración.

—¡Quinientos millones de dólares! —no pudo por menos que exclamar—. ¿Y en qué se piensa gastar tanto dinero?

—En montar una planta petroquímica muy especial.

—Eso significan tres años de construcción, otros tantos de investigación, seis para conseguir comercializar el producto y quince o veinte para vencer la resistencia de las petroleras. —Hizo un gesto casi humorístico de sumar con los dedos y concluyó—: Con suerte se convertirá usted en el ancianito más rico del mundo.

—Me hubiera sorprendido que no le diera una vez más la razón a Naima —se lamentó su anfitrión—. ¡Menuda pareja forman!

—No me malinterprete —suplicó el otro—. La idea me parece magnífica, y estoy de acuerdo en que es algo que la humanidad necesita. Usted como empresario y hombre de notable influencia y peso social debería apoyarla moral y económicamente, pero no como negocio, sino como aportación a la mejora de la calidad de vida de aquellos que de una u otra forma le han proporcionado cuanto tiene.

—Lo que Gaetano te está queriendo decir, muy diplomáticamente… —puntualizó quisquillosa la venezolana— es que ya es hora de que hagas algo por los demás sin pensar en los beneficios.

—Para eso te tengo a ti, querida —fue la respuesta acompañada de una conciliadora sonrisa—. Para eso te tengo a ti, que estás convirtiendo un fabuloso yate en un absurdo ambulatorio. ¡Pero dejemos el tema! —rogó—. Ahora lo único que necesito es que aquí nuestro buen amigo me garantice que puedo vivir tranquilo.

—Por lo que respecta a Germán Santana y sus amenazas, desde luego —le tranquilizó el brasileño—. Aunque parezca mentira actuaba solo, y no era como Mathias Barriere que complicó las cosas de tal modo que muchos inocentes sufrieron las consecuencias incluso después de que hubiera muerto.

—¡Menudo liante! ¡La que armó!

Gaetano Derderian alargó el brazo y tomando la botella de coñac que se encontraba en el centro de la mesa rellenó su copa de la que bebió con evidente delectación:

—Esa es, quizá, una de las cosas más sorprendentes que he aprendido en este caso —dijo al poco—. He logrado entender hasta qué punto no solemos calibrar las consecuencias de los actos de aquellos que han muerto, como si por el simple hecho de que estén muertos todo hubiera acabado al desaparecer ellos.

—¡Que me cuelguen si le entiendo! —protestó el multimillonario—. ¿Qué coño ha pretendido decir con eso? Siempre he tenido muy claro que vivimos en un mundo construido por quienes ya están muertos, y con normas de conducta creadas por una legión de difuntos. ¿O no?

—¡Desde luego! Pero en el caso concreto de Abdull Shami, es la primera vez que me enfrento al hecho de que quien le asesinó ya estaba muerto y por el mero hecho de saber que lo estaba, el acto en sí mismo no se me antojaba tan horrendo. Es como si en cierto modo estuviera disculpando a Mathias Barriere, no porque su acción no fuera condenable, sino porque al morir se había redimido en parte.

—Continúo en la luna, pero no tengo ganas de enzarzarme en una discusión filosófica que a nada conduce —puntualizó el francés al tiempo que se ponía bruscamente en pie aquejado de una súbita y desconcertante prisa—. Ahora tengo que hacer un par de llamadas y consultar con la almohada si mañana me embarco o no en un negocio de quinientos millones de dólares. —Guiñó un ojo con picardía—. Les dejo conspirando sobre la mejor manera de quitarme de en medio, pero recuerde que le espero a las nueve en mi despacho. Quiero que arreglemos nuestras cuentas antes del consejo de administración.

Besó a su esposa en el cuello, le revolvió cariño-
samente el cabello y desapareció a toda prisa, por lo
que la venezolana no pudo por menos que sonreír al
tiempo que agitaba la cabeza como si le costase aceptar la realidad:

—Lo que de verdad le ocurre es que se está
haciendo pis, pero en algunas cosas es tan infantil, tan
«pendejo» o tan «sifrino», que no es capaz de admitir
que alguien de su posición social pueda tener una
necesidad fisiológica. ¿Me creerá si le digo que el
tiempo que llevamos casados jamás le he visto entrar
o salir de un cuarto de baño? ¡Es ridículo!

—Pero aun así usted le admira y le respeta.

La hermosa mujer meditó unos segundos, frunció
el ceño y negó convencida:

—Le quiero y le respeto, eso sí —puntualizó—.
Pero no le admiro, porque cada día que pasa se em-
peña más y más en ahogarse en un océano de dinero.
Es muy buena persona y tiene talento, lo admito,
pero cuando tanto talento se aplica únicamente a en-
gordar cuentas bancarias por la mera satisfacción de
que cada vez tengan más ceros, el mérito se transfor-
ma en defecto. En su caso un cero más no es más que
un cero. Es decir: ¡nada! —Hizo un amplio gesto
señalando cuanto le rodeaba y el excepcional paisaje
que se extendía ante ellos para añadir en tono que-
jumbroso—: Tenemos ocho casas a cuál más costosa
en ocho lugares del mundo. Algunas son, como bien
sabe, auténticos museos o palacios, pero le garantizo
que yo lo que aún no he conseguido es algo que pueda considerar un verdadero hogar.

—Entiendo lo que siente, puesto que a mí me
ocurre algo parecido —reconoció el brasileño—.
Tengo oficinas y apartamentos aquí en Nueva York,
en Londres y en Río de Janeiro, pero a mi verdadero

hogar de Pernambuco no he vuelto en los últimos diez años.

—A menudo me siento como esos feriantes que van de pueblo en pueblo trapicheando con mulas, casetas de tiro al blanco o ropa usada —dijo ella—. Y le apuesto lo que quiera, a que si Romain decide firmar mañana ese contrato y necesita liquidez, pasado mañana dejará en la calle a los empleados de una compañía telefónica en Grecia, o a los operarios de una fábrica de muebles tailandesa. —Lanzó un resoplido de hastío—. Cada vez me cuesta más trabajo aceptar que soy cómplice de semejantes injusticias.

—Usted no es cómplice. Únicamente testigo.

—Todo aquel testigo que pudiendo evitar un delito, no lo evita, acaba convirtiéndose en cómplice. Y yo podría evitarlo.

—¿Cómo? —quiso saber su incrédulo interlocutor que pareció desconcertarse al advertir que la venezolana se servía un gran vaso de ron que empezaba a echarse al coleto de un solo trago—. ¿Matándole? Esa no es la solución y usted lo sabe. De la misma manera que tampoco es solución destrozarse el hígado. ¿Desde cuándo bebe de esa manera?

—Desde que he decidido divorciarme del hombre al que amo, y que me consta que me adora, por un mezquino problema de dinero. ¡Demasiado dinero!

—Esa es una de las decisiones más estúpidas que nadie pueda tomar.

—Pero es la que voy a adoptar. A todas horas se escucha una frase hecha: «La verdad nos hará libres», pero es falso. Existen muchas mentiras y una sola verdad. Si nos refugiamos en una mentira siempre estaremos a tiempo de cambiarla por otra, pero si nos escudamos en la verdad nos convertiremos en sus esclavos puesto que no admite componendas. Y mi verdad es esa: ¡Aborrezco vivir de esta manera!

—¿Acaso echa de menos su «ranchito» de Caracas?

—¡No! ¡Naturalmente que no! Pero ya una vez le dije que en ocasiones sueño que me encuentro en una esquina de la avenida Urdaneta, y aunque le cueste aceptarlo es un sueño que ahora me relaja, puesto que al menos en esos momentos sé dónde estoy. Mañana por la tarde volamos a Washington para asistir a una recepción en la embajada sueca, al día siguiente nos vamos a Las Vegas porque Romain pretende comprar un casino, seguiremos hasta Los Ángeles donde está coproduciendo una película, y con un poco de suerte pasaremos el fin de semana en Honolulú antes de continuar hacia Japón.

—¡Caray! ¡Qué ritmo tan agitado!

—¡No lo sabe usted bien! Y como parece lógico, en cada cena o recepción debo lucir un vestido diferente y de un modisto de primera línea, tal como corresponde a la señora de Romain Lacroix. ¿Tiene idea de lo difícil que resulta para alguien a quien lo que de verdad le gusta son los pantalones tejanos y las camisetas sueltas elegir cada día un vestido? A veces me siento como el jarrón chino de la entrada; tiene casi tres mil años de antigüedad y vale una fortuna, pero nadie se fija en lo hermoso que es, sino en las flores que son cambiadas cada mañana, y que no cuestan más de veinte dólares. ¿Por qué nos hemos gastado tanto dinero en él, si un simple florero de cristal prestaría idéntico servicio?

—¡Me desconcierta! La inmensa mayoría de las mujeres que conozco se morirían por estrenar un vestido nuevo cada noche.

—¿A sabiendas de que se están poniendo encima

la cena de cien niños? —inquirió casi agresivamente la venezolana—. Lo siento por usted, puesto que
conoce a unas mujeres que valen bien poco.

Gaetano Derderian se puso en pie, apartó con un
gesto la botella de ron que la otra estaba a punto de
servirse otra vez, y con ella en la mano se aproximó
al ventanal para extasiarse ante la belleza de la gigantesca ciudad iluminada.

—¡Vaina! —exclamó—. Usted sí que sabe herir a
la gente. Respeto su forma de pensar, pero no la
apruebo, porque gracias a la vida que su marido le
obliga a llevar, y que desde luego no es tan mala, ahora dispone de un ambulatorio flotante y dinero para
poner en marcha sus proyectos de ayudar a los más
necesitados. —La observó, no ya con el deseo con
que la contemplaba cuando no veía en ella más que a
una mujer extraordinariamente atractiva y sensual,
sino como a una criatura única y excepcional, cuya
belleza interior superaba en mucho cualquier belleza
física—. Plantéeselo como una obligación y busque la
forma de sisarle todo el dinero que pueda a Romain,
que está loco por usted y además es un hombre generoso y le dará cuanto le pida.

—No soy una ladrona —replicó ella con una de
aquellas sonrisas que la convertían en un ser absolutamente adorable—. Puede que algún día me convierta en una asesina, pero me siento incapaz de robarle
a nadie. Ni siquiera a ese bobalicón con el que duer-
mo, y que no tiene ni la menor idea de a cuánto as-
ciende su astronómica fortuna.

—Robarle a los ricos para dárselo a los pobres
nunca se ha considerado un delito.

—¿Acaso le recuerdo en algo a Robin Hood?
¡Sírvame un trago!

—¡No!

—¡Que estoy en mi casa! En «una» de mis casas.

—Aunque así sea —replicó el brasileño ocultando la botella tras la espalda—, ya ha bebido demasiado, y necesito que me escuche con atención. Si me promete que no se divorciará, yo le prometo que encontraré la forma de que disponga de inmensas cantidades de dinero para construir zopotocientos orfanatos y hospitales sin que tenga que «robárselo» a su marido. Cuento con un magnífico equipo de asesores fiscales y le aseguro...

—¡No siga! —le interrumpió Naima Fonseca alzando la mano en un inequívoco ademán—. Le creo muy capaz de hacer lo que dice, pero me temo que no me ha entendido. No quiero seguir estudiando y estudiando cosas que ya de poco van a servirme, y esperando a que Romain acabe sus reuniones y envíe un coche a buscarme para ir a cenar con gente con la que no tengo nada en común. Los hombres tan sólo buscan acostarse conmigo y las mujeres me aborrecen. No tengo amigos, únicamente profesores, y me siento como una medalla cada vez más brillante que alguien se cuelga cuando se viste de gala. ¡No! —concluyó segura de lo que decía—. Me he dado cuenta de que cada día que pasa recurro más al ron, y estoy convencida de que o me divorcio o acabaré tan alcoholizada como mi padre.

Sobre el amplio arco de piedra de la ancha puerta resaltaba un gran escudo en relieve, y a partir de allí un sendero de grava, que se abría paso entre una fila de abedules, conducía directamente al porche del mayor de los modernos edificios que se distribuían a lo largo y ancho de una docena de hectáreas de praderas y bosquecillos por los que serpenteaba un riachuelo de aguas cristalinas.

El espacioso lugar presentaba un aspecto paradisíaco, y al recién llegado se le antojó que ciertamente había alcanzado el umbral del mismísimo paraíso en el momento en que, al descender del vehículo, se enfrentó al inimitable rostro de Naima Fonseca, que sonreía feliz al tiempo que extendía las manos para tomar las suyas en una espontánea muestra de auténtico afecto.

—¡Al fin estás aquí! —exclamó alborozada—. ¡Dichosos los ojos!

Estaba más delgada, pero también mucho más morena, y pese a que no vestía más que unos pantalones vaqueros y una blusa muy holgada, continuaba siendo sin lugar a dudas una mujer absolutamente excepcional.

Sus ojos brillaban más que nunca, cada uno de sus movimientos rebosaba entusiasmo, y cuando tomó al brasileño del brazo y le empujó suavemente para que le acompañara a recorrer unas instalaciones de las que se mostraba justamente orgullosa, hablaba con una vitalidad irreconocible en alguien que una noche le había confesado que tenía miedo de terminar convirtiéndose en una alcohólica.

A Gaetano Derderian le asaltó la extraña sensación de que el mundo bailaba a su alrededor.

Los árboles parecían más verdes, la hierba más fresca, el cielo más luminoso y el aire más perfumado por el simple hecho de que eran unos árboles, una hierba, un cielo y un aire que se encontraban cerca de la mujer que conociera en un pequeño salón de un fabuloso palacio a orillas del Loira.

El tono de su voz, sereno y embriagador, tan sólo se enturbiaba cuando hacía su aparición el amargo recuerdo de su esposo, al que podría creerse que conservaba en la memoria, no como al hombre con el que había compartido el lecho tantos años, sino como un amigo y compañero, casi un hermano, cruel, prematura e injustamente desaparecido.

—Lo que más me continúa doliendo —dijo cuando al poco tomaron asiento en un banco de piedra de una rotonda desde la que se dominaba la mayor parte del paisaje circundante— es el hecho de no haber conseguido recuperar su cadáver, por lo que no existe una tumba a la que acudir a depositar unas flores, o un hermoso lugar en el que saber se han esparcido sus cenizas.

—Esa fue sin duda una de las mayores tragedias de aquel día —admitió el pernambucano—. Todo ser humano está en capacidad de aceptar, bien o mal, que aquel a quien ama desaparezca, pero nadie lo está para aceptar que se volatilice sin dejar rastro. Tengo un amigo que está convencido de que cualquier día su hija emergerá de la nada para materializarse nuevamente y abrazarle.

—A veces me imagino a Romain, sentado tras su enorme mesa de ébano en aquel despacho, idéntico a todos los suyos, pero desde el que dominaba todo Manhattan, observando con curiosidad, luego con incredulidad y por último con horror, cómo un monstruoso avión se dirigía hacia él, y no puedo por menos que preguntarme si en esos momentos me dedicó tan sólo un pensamiento.

—Estoy convencido de que se aferró a tu imagen como a su única tabla de salvación.

—Lo extraño del caso —sentenció la venezolana con una leve sonrisa de amargura— estriba en el hecho de que no fui yo quien le salvó a él, sino él quien me salvó a mí. Resulta cruel tener que reconocerlo, pero su muerte me permitió encontrar mi auténtico camino.

—Eso no es cierto y lo sabes —le contradijo Gaetano Derderian seguro de lo que decía—. Tú habías encontrado tiempo atrás tu camino, pero era Romain quien no te permitía recorrerlo. Tu camino era el que ahora has seguido, y la prueba está en que se te advierte totalmente feliz.

—¡No puedes ni imaginarte hasta qué punto!

—¿Cuántos chicos tienes?

—¿Aquí? Al día de hoy, trescientos doce.

—¿Y en total?

—¿Contando todas las casas de todos los países? —quiso saber ella—. En torno a los dos mil. El número siempre varía puesto que algunos van y vienen dependiendo de su capacidad de adaptación, que no siempre es la deseada.

—¿Muchos problemas?

—Infinitamente menos que alegrías. Cuando ves llegar a una pobre criatura, hambrienta, andrajosa, asustada, desconfiada, y a menudo incluso cruel porque todo cuanto ha tenido en esta vida ha sido miseria y malos tratos, pero a los pocos meses la descubres riendo, aprendiendo a leer, ensayando una obra de teatro, o dando saltos y gritos porque ha conseguido meter un gol en tiempo de descuento, llegas a la conclusión de que te saben mejor unas patatas con carne en su compañía, que el mejor caviar en una cena de gala de la embajada rusa.

—Lo imagino, pero lo que no consigo imaginar es cómo te las arreglas para sacarlos adelante.

—El mérito no es mío —fue la respuesta teñida de un leve tono humorístico—. Es de Romain, que fue capaz de ganar tanto dinero que ni tan siquiera esos dos mil zampabollos se lo comen. Una parte de lo que me correspondió en la herencia la dediqué a construir los orfanatos, y la otra la invertí de tal modo que con sus intereses cubro los gastos. Tan sólo con la venta de los cuadros levanté aquellos tres pabellones.

—¿Vendiste también las casas?

La venezolana asintió con un gesto.

—Nada me ataba a ellas porque nada me ha atado nunca a nada. Aborrezco las cosas, tal vez porque de niña el cristal de un escaparate me separaba de los objetos que deseaba tener y nunca tuve. Me acostumbré a despreciarlos y demostrarles ahora apego sería tanto como traicionarme a mí misma.

—Mucha gente cambia con el tiempo —le hizo notar el pernambucano—. E incluso se esfuerza por sobreponerse a su pasado por duro que haya sido.

—Yo no; yo revivo ese pasado día tras día y noche tras noche, y si me siento tan feliz, es porque sé que continúo siendo fiel a mis convicciones. Por eso, lo que estoy haciendo no tiene ningún mérito; el verdadero mérito lo tienen aquellos que amando el dinero o los objetos, son capaces de sacrificarse ofreciéndoselo a quienes los necesitan más que ellos.

—Me gustaría poder entenderte.

—¿Y qué dificultad le encuentras? —quiso saber Naima Fonseca, y resultaba evidente que la cuestión le sorprendía—. Acepta que en el fondo soy terriblemente egoísta, puesto que es mucho lo que recibo a cambio de algo que para mí carece de valor.

—Pero es que el mundo no funciona así.

—Y tal vez por eso funciona tan mal.

—Últimamente está cambiando —puntualizó Gaetano Derderian tras meditar unos instantes—. Con la tragedia son muchos los que se han replanteado su forma de ver la vida aceptando que el verdadero éxito no se encuentra en lo que los demás consideran que es un éxito, sino en lo que cada cual considera que es su propio éxito.

—Supongo que comprendieron que cuando aquellas dos torres, que constituían sin lugar a dudas el mejor ejemplo de lo que significan la riqueza y el triunfo, se derrumbaban en cuestión de minutos, debía ser porque el suyo era un ídolo que tenía los pies de barro y no se merecía que lo adoraran de un modo tan absurdo.

—A menudo no puedo evitar hacer un paralelismo entre las explosiones con las que los talibanes destruyeron los gigantescos Budas de piedra y la caída de las torres apenas unos meses más tarde —le hizo notar el brasileño—. El mundo «civilizado» asistió indiferente a la destrucción de unas obras de arte de miles de años de antigüedad, sin caer en la cuenta de que era como un aviso. ¡Qué ciegos estábamos!

—Y lo peor del caso, es que no podemos acusar a nadie —admitió ella con naturalidad—. Pero ahora yo, al igual que miles de personas, que perdieron a un ser muy querido aquel maldito día, no puedo por menos que plantearme hasta qué punto aquella terrible catástrofe sirvió para que empezáramos a aceptar que avanzábamos por un camino equivocado.

—Lo malo es que descubrirlo se cobró demasiadas vidas.

—Cualquier guerra africana se cobra muchas más, y casi nunca sirven para que nadie abra los ojos.

—Probablemente se debe a que no se retransmiten por todos los canales de televisión, en el momento mismo en que están sucediendo —le hizo notar Gaetano Derderian—. Aquel once de septiembre la humanidad asistió a la muerte en directo de miles de personas inocentes, y no creo que ningún testigo que tenga la más mínima sensibilidad pueda olvidar tanto horror. Yo por lo menos jamás conseguiré olvidarlo aunque admito que mi caso es distinto porque por desgracia fui testigo presencial.

—¿Qué sentiste en esos momentos? —quiso saber Naima Fonseca—. Sé que te encontrabas allí, pero nunca me has hablado de ello.

—¿Y qué puedo decirte que no se haya dicho ya mil veces? Romain me había citado a las nueve e iba dando un paseo porque la mañana estaba muy agradable y necesitaba pensar. La noche antes apenas había conseguido dormir. Por un lado me preocupaba tu estado de ánimo, y por el otro me fascinaba la idea de que estuvieras pensando en divorciarte.

—¿Por qué?

—¡Oh, vamos Naima, no juegues conmigo! Tú sabes perfectamente lo que por aquel tiempo sentía por ti.

—¡No! —replicó ella con sorprendente seriedad—. No lo sé.

—Pues supongo que no hace falta que te diga que sentía lo que sienten la mayoría de los hombres que te conocen.

—¡De acuerdo! —admitió ella sin darle excesiva importancia al tema—. ¡Continúa!

—Iba ensimismado, rumiando yo no sé qué, y me faltaban menos de quinientos metros para llegar cuando de pronto me alarmó el estruendo de un avión que volaba demasiado bajo. ¡Ese tipo está loco!, mascullé, y en el momento de alzar el rostro tuve el tiempo justo de ver cómo se incrustaba contra la primera de las torres y el mundo estallaba como si se hubiera roto en mil pedazos.

—¡Dios bendito!

—¿Y quieres saber lo más curioso? No es la visión del impacto lo que con más frecuencia me devuelve a aquel instante, ni tan siquiera el estruendo o los gritos de angustia. Es el olor a queroseno.

—¿El olor a queroseno? —pareció sorprenderse ella—. Nunca lo hubiera imaginado.

—Pues así es. Los olores suelen ser nuestros peores enemigos a la hora de rememorar los malos momentos. Podemos olvidar una imagen o incluso un sonido, pero el olor nos asalta a traición y nos transporta de inmediato al pasado más negro.

—¿Qué pasó luego?

—No lo sé. Creo que me quedé inmóvil, como si me hubieran clavado los pies al asfalto, observando el humo y el fuego, y debí tardar unos minutos en descubrir que el avión había ido a impactar a la altura del piso hacia el que yo me dirigía. De pronto comprendí que de haberme adelantado unos minutos, en aquellos momentos estaría muerto.

—¿Y no pensaste en Romain?

—Supongo que sí, no lo recuerdo. Mi mente se había quedado en blanco y no acertaba a admitir que lo que estaba ocurriendo fuera cierto. Pero lo que sí recuerdo, es que antes de que tuviera ocasión de reaccionar, vi llegar el segundo avión, y eso fue ya como asistir en primera fila al fin del mundo. —El brasileño lanzó un resoplido como si le costara aceptar la realidad al añadir—: El fuego, el humo, el olor, los gritos de angustia y la gente que pedía auxilio allá arriba, o que se arrojaba al vacío huyendo de las llamas, hace que a menudo sueñe con ello y me despierte dando gritos.

—¿Crees que Romain debió padecer mucho rato aquel horror o que murió en el acto?

—Debió ser de los primeros en morir, de eso no cabe duda, pero opino que no deberíamos continuar hablando de algo que a los dos nos martiriza. Tú perdiste al hombre que amabas, y yo a un amigo y a miles de personas a los que en esos momentos me sentía muy unido ya que al advertir su desesperación pidiendo auxilio se convirtieron en algo muy importante para mí.

—Quizá tengas razón y no sea bueno continuar hurgando en una herida que tarda tanto en cicatrizar —admitió la venezolana—. Pero lo que nunca he entendido es por qué desapareciste como si se te hubiera tragado la tierra.

—Estuve en el funeral, ¿no lo recuerdas?

—Sí, naturalmente que lo recuerdo, pero ese día había demasiada gente a la que ni siquiera conocía. Yo lo que necesitaba era la presencia de un amigo.

—En aquel tiempo no me atrevía a considerarme tu amigo —le hizo notar él—. No era más que un simple investigador al que tu esposo había contratado, y que evidentemente había fracasado a la hora de evitar que lo mataran.

—Eso es una soberana pendejada —protestó de inmediato la venezolana—. Hiciste muy bien tu trabajo y nadie podía ni tan siquiera imaginar que algo tan espantoso pudiera suceder. Pero en aquellos tiempos Waffi Waad y tú erais las dos únicas personas en las que podía apoyarme, y nunca te perdonaré que no acudieses en mi ayuda.

—Siento que pienses así, pero tenía mis razones —señaló el brasileño evidentemente afectado y compungido—. Honradamente creí que era mucho mejor mantenerme lejos.

—¿Y eso por qué?

—Porque por aquel entonces estaba convencido de que tenerte cerca me impulsaría a cometer algún tipo de error imperdonable para alguien que acababa de pasar por una de las experiencias más traumáticas por las que pueda pasar ser humano alguno.

—Quizá tengas razón.

—La tengo, de eso no debe caberte ninguna duda. Lo único que deseaba, y que he deseado desde aquel día, era estar a tu lado e intentar consolarte, pero tenía miedo.

—¿Y qué es lo que te ha hecho cambiar de idea?

—Los acontecimientos.

Naima Fonseca se puso en pie para iniciar sin prisas el regreso hacia el edificio principal, aunque eligiendo ahora un camino más largo que cruzaba el bosque para ir a salir a la orilla del riachuelo que recorrieron durante unos quinientos metros antes de alcanzar un gracioso puente de madera.

—¿Qué clase de acontecimientos? —quiso saber.

—Muchos, muy extraños y muy variados —fue la en cierto modo misteriosa respuesta—. En primer lugar, que el cambio de actitud tras la tragedia de aquel día no ha sido tan sólo de las personas. Algunos gobiernos han sabido comprender, de igual modo, que la política que se estaba siguiendo les llevaba al desastre y están introduciendo grandes cambios.

—Algo he leído sobre eso. ¿En qué consisten?

—Se ha incrementado la ayuda al Tercer Mundo, se ponen en marcha ambiciosos proyectos de colaboración, se frena en cierto modo la absurda carrera armamentista, y sobre todo, se controla a las multinacionales por medio de leyes que impiden que continúen adueñándose del mundo a base de utilizar toda clase de triquiñuelas legales.

—¿Cómo?

—Exigiéndoles garantías bancarias destinadas al pago de nóminas, impuestos y seguridad social por un período de tres años por si se diera el caso de que de pronto decidieran marcharse a otro país, tal como han venido haciendo en tantas ocasiones. No es lógico que sean los gobiernos locales los que al fin y a la postre tengan que cargar con esos gastos.

—Se me antojan unas medidas bastante inteligentes —admitió Naima Fonseca.

—Lo son, en efecto, y de igual modo la Comunidad Económica Europea está impidiendo la excesiva diversificación de las empresas, oponiéndose a que inviertan en más de cuatro o cinco campos diferentes. Pronto se dictará una ley por la que nadie que tenga intereses en la prensa escrita, pueda tenerlos de igual modo en las cadenas de radio o de televisión, con el fin de evitar una excesiva influencia sobre los medios de comunicación.

—¿Y servirá de algo?

—Al menos evitará que la mayor parte de las

transnacionales se embarquen en aventuras empresariales de dudoso futuro a sabiendas de que si les sale bien se llevan los beneficios, pero si salen mal son otros los que pierden. Ya no bastará con promesas deslumbrantes y sobornar a unos cuantos funcionarios. A partir de ahora tendrán que garantizar el buen fin del proyecto, o por lo menos la cobertura de las pérdidas.

—Muy prudente. Y muy lógico.

—Eso mismo opino yo —reconoció el pernambucano—. Y es que, desde el punto de vista de la economía, vivíamos en un mundo del que podría creerse que lógica y prudencia habían desaparecido para dar paso a las peligrosas fantasías de aventureros sin escrúpulos. Con la disculpa del libre comercio y la libre empresa nos estábamos precipitando en el oscuro pozo del libertinaje donde lo único que parecía importar era ganar dinero.

La venezolana se detuvo, aguardó a que su acompañante le imitara para volverse a observarla, y tan sólo entonces inquirió con marcada intención:

—Y en ese aspecto Romain era un auténtico líder, ¿no es cierto?

—No he pretendido molestarte.

—Y no lo has hecho —le tranquilizó ella—. Yo le quería, pero siempre fui la primera en rechazar sus métodos, y si me hubiera hecho caso aún seguiría con vida. ¿Tienes alguna idea de qué ocurrió con aquella curiosa idea del «petróleo sólido»?

—Ni la más mínima. Supongo que sus promotores también murieron aquella mañana, puesto que estaban en sus oficinas de las Torres.

—¿Y del «Río de la Paz»?

—Sigue adelante, aunque mucho más lentamente, pero confío en que con la desaparición de Ariel Sharon de la escena política, tome un nuevo impulso, sobre todo si los judíos aceptan que la paz sólo es posible a base de la mutua colaboración en el desarrollo de la región. Y está claro que esa es una región que tan sólo podrá desarrollarse cuando tenga el agua que necesita. Waffi Waad está intentando que el español superviviente, Víctor Benavides, dirija las obras, pero dudo que lo haga, no sólo por su estado físico, sino sobre todo porque su gobierno le ha puesto al frente del proyecto alternativo al trasvase del río Ebro.

—¡Esa sí que es una magnífica noticia! —exclamó Naima Fonseca—. ¿De modo que al fin las autoridades españolas aceptaron su propuesta?

—Por lo visto, lo ocurrido en Nueva York les obligó a replantearse la situación. La propia Asamblea de las Naciones Unidas había recomendado a todos sus miembros que lucharan contra el terrorismo en todos los campos posibles, y el primero de esos campos era, naturalmente, no invertir miles de millones en facilitarles la labor a quienes se asegura que cuentan con armas químicas y bacteriológicas. Sobre todo cuando existe una opción mucho más segura y más barata.

—Lo de más segura, resulta indiscutible —se vio obligada a reconocer la hermosa mujer—. Pero lo que no entiendo es por qué cuesta menos desalar agua de mar que traerla de un río.

—¿Cómo te lo explicaría yo? —quiso saber su acompañante para comenzar a gruñir por lo bajo apretando los dientes como si estuviera intentando concentrarse en expresarse de la forma más sencilla posible—. Intervienen varios factores —señaló—. El primero, que cuesta muchísimo menos perforar ocho o diez grandes pozos de setecientos metros de profundidad en los lugares más idóneos de la costa, que tender mil kilómetros de enormes tuberías atravesando barrancos, subiendo montañas, esquivando pueblos, ciudades y espacios naturales o cruzando autopistas.

—Parece razonable.

—No es que lo parezca, es que lo es. Por suerte o por desgracia las cifras son lo que son: tanto vale un metro de perforación, tanto un kilómetro de tubería. Y he visto esos números. El presupuesto de las plantas desaladoras para producir la misma cantidad de agua de ese trasvase es de poco más de la mitad.

—¿Pero y el hecho posterior de desalar el agua? —quiso saber ella—. Eso no debe ser gratis.

—El problema es, en esencia, el mismo: energéticamente se gasta menos en elevar agua desde setecientos metros de profundidad, que en impulsarla a cientos de kilómetros de distancia. Y es que nadie parece recordar que el agua no se mueve por sí sola. Hay que empujarla.

—Eso parece de igual modo razonable.

—Lo es. E influye un tercer factor: un agua que recorre cientos de kilómetros llega muy sucia, por lo que potabilizarla exige un gasto adicional, mientras que el agua desalada ya sale de la planta depurada y lista para el consumo humano.

—¿Y crees que eso es lo que ha influido en las autoridades españolas?

—Eso, y la amenaza terrorista. Ya no basta con detener a esos locos cuando han colocado una bomba o contaminado un río: hay que prevenir que puedan hacerlo, y en todo caso procurar que el daño sea el menor posible. Aun en el caso de que la desalación hubiera resultado más costosa, la prudencia estratégica aconsejaba no poner el futuro de las generaciones venideras en manos enemigas. El mundo ha tomado conciencia de quiénes son ahora esos enemigos, y ningún gobierno puede volverle la espalda a la realidad.

—Al menos algo bueno habremos aprendido de toda esta catástrofe. Y consuela saber que hay quien así lo entiende.

—En ocasiones el ser humano no es tan estúpido como se nos quiere hacer creer. Con frecuencia el pueblo saca sus propias conclusiones y en ese caso a los gobernantes no les queda otro remedio que hacerlas suyas o desaparecer. Las grandes revoluciones llegan cuando ese pueblo se cansa de una determinada situación, y a quien no sepa seguirle, lo arrastra.

—¿Acaso pretendes decir con eso que nos encaminamos hacia un mundo mejor? —quiso saber Naima Fonseca.

Habían llegado al pequeño puente de madera y Gaetano Derderian se detuvo para apoyarse en la barandilla y contemplar las transparentes aguas por las que discurrían infinidad de diminutos peces. Meditó unos instantes pero acabó por encogerse de hombros.

—Sinceramente, no lo sé —dijo—. Pero intento ser optimista y creo que casi siempre nos encaminamos hacia un mundo mejor, aunque con demasiada frecuencia lo hagamos a trancas y barrancas, o dando de pronto dolorosos saltos atrás. Al igual que el ser humano aprende de sus errores, el conjunto de los seres humanos aprende de ellos, lo cual no quiere decir que no los repita.

Su acompañante, que se había recostado en la barandilla opuesta, le miró directamente a los ojos para inquirir:

—Y tú personalmente, ¿qué has sacado en limpio de todo esto?

—¿Yo? —pareció sorprenderse él—. No lo sé. ¿A qué te refieres?

—A si ha sido una experiencia positiva o negativa.

Gaetano Derderian necesitó un tiempo para construir mentalmente su respuesta, dudó, como si no estuviera muy seguro de lo que iba a decir, pero al fin admitió:

—Ha sido muy negativa en cuanto al hecho de que fui testigo presencial de los acontecimientos más traumatizantes de los últimos tiempos. Pero ha sido muy positiva en cuanto se refiere a mi propia experiencia, mi nueva forma de ver la vida, y en el hecho de que lo ocurrido me proporcionó una idea que me está haciendo ganar mucho dinero.

—¿Qué clase de idea?

—Una muy simple. La catástrofe de Nueva York ha demostrado hasta qué punto los aviones resultan vulnerables a las acciones terroristas y ello ha provocado un lógico miedo a volar. Pocos quieren viajar por placer, las aerolíneas y las empresas turísticas se arruinan, las compañías de seguros se niegan a asumir tantos riesgos, y nadie encuentra una forma sencilla de evitar los secuestros y los atentados. Se han instalado puertas blindadas en las cabinas de los pilotos, agentes de policía armados de pistolas especiales viajan de incógnito, se habla de gases que duerman en el acto a los pasajeros, e incluso antes de subir a un avión les registran hasta las uñas de los pies, pero con eso no basta.

—Lo sé… —admitió Naima Fonseca en cierto modo impaciente—. Volar se ha convertido en un martirio. ¿Qué tiene eso que ver contigo?

—Que se me ocurrió un sistema de seguridad sencillo, barato y efectivo. Lo patenté, y se lo estoy vendiendo a las compañías aéreas y a los fabricantes de aviones.

—¿Y en qué consiste?

—En que los cinturones de seguridad serán a partir de ahora mucho más resistentes, con hilos de acero entrelazados, de tal modo que no se pueden cortar si no es con la ayuda de una enorme cizalla —fue la respuesta—. En el momento en que los pasajeros se han sentado y se han ajustado mi cinturón, el piloto pone los motores en marcha y automáticamente todos los cinturones se bloquean, de tal modo que en conjunto no podrán desbloquearse hasta que el avión haya llegado a su destino y los motores se hayan detenido.

—¿Quieres decir que todos los pasajeros tendrán que hacer todo el vuelo sentados y con el cinturón abrochado?

—¡En absoluto! —se apresuró a negar el brasileño—. Cuando un pasajero desee ir al baño no tendrá más que avisar y la azafata indicará a la cabina el número de fila y asiento que debe ser desbloqueado. El ordenador central no permite más que dos aperturas al mismo tiempo, puesto que por lo general no existen más que dos baños, y en buena lógica los miembros de la tripulación tendrán el suficiente criterio como para no permitir que dos pasajeros «sospechosos» se levanten al mismo tiempo.

—Parece eficaz aunque supongo que a muchos viajeros les asaltará una especie de claustrofobia.

—¿Por qué, si de hecho ya están encerrados en un avión del que no se pueden abrir las puertas, y en la mayoría de los casos la gente permanece con el cinturón abrochado como medida de precaución?

—Supongo que se trata de un factor psicológico.

—Que muy pronto se olvidará, como se olvidó el factor psicológico de no poder fumar en los aviones, lo que en un principio se consideraba inaceptable. Las encuestas demuestran que en los vuelos que duran menos de dos horas casi ningún adulto suele levantarse para ir al baño porque no les agrada que tantos extraños sean testigos de sus necesidades fisiológicas.

—Admito que soy uno de ellos —se vio obligada a señalar la venezolana—. No en el grado obsesivo en que lo era Romain, pero sí lo suficiente como para que no me agrade la idea de que cien desconocidos sepan que en esos momentos me he bajado las bragas y estoy haciendo pis.

—La mayoría de los pasajeros de vuelos cortos ni tan siquiera repararán en el hecho de que viajan atados, y hay que tener en cuenta que esos «saltos cortos» constituyen casi el setenta por ciento de los que se realizan a diario.

—¿Pero qué ocurrirá en caso de accidente?

Gaetano Derderian le dirigió una humorística mirada de reconvención al replicar:

—Piensa un poco. Es, «en caso de accidente», cuando más razones existen para que se lleve el cinturón abrochado. Y una vez que ese accidente ha ocurrido los motores dejan de funcionar con lo que se desbloquean en el acto.

Le interrumpió el lejano repiquetear de una campana, por lo que Naima Fonseca consultó el reloj para comentar:

—Tenemos que regresar porque dentro de quince minutos todos los chicos tienen que estar sentados a la mesa y me gusta dar ejemplo, pero antes quiero que me respondas sinceramente a una pregunta: ¿Es cierto lo de que estás trabajando para los servicios secretos americanos?

Él asintió de inmediato:

—Es cierto. Nos contrataron y sabes bien que aceptamos a cualquier cliente siempre que no nos pida algo ilegal.

—¿Y qué querían que hicieras?

—Encontrar una forma de localizar o neutralizar a Osama Bin Laden.

La venezolana no pudo por menos que sonreír levemente al señalar:

—Conociéndote como te conozco me imaginé algo así. ¿Y se te ocurrió algo? —Ante el mudo gesto de asentimiento inquirió—: ¿Qué?

—El modo de impedir que se convierta en una eterna amenaza. —El tono del brasileño evidenciaba que no le agradaba en exceso hablar del tema, pero continuó haciéndolo—. El gran problema de Osama Bin Laden estriba en que si continúa con vida causará un daño incalculable y con cada acción violenta su prestigio aumentará entre sus seguidores más fanáticos.

—Lo demostraron lanzándose contra las Torres Gemelas. Poco se puede hacer contra gente dispuesta a morir.

—En efecto. Pero si le atrapan, le juzgan y le condenan, o si por casualidad consiguen matarle, se creará un mártir del integrismo, con lo que su sombra planeará eternamente sobre nuestras cabezas, puesto que si algo existe más peligroso que un fanático, es el fantasma de un fanático.

—O sea, que en contra de lo que suelen ilustrar los carteles de búsqueda y captura, no le quieren «ni vivo, ni muerto».

—Más o menos.

—¿Y qué otra solución existe?

—La que les he dado, y que se me ocurrió al recordar tu famoso Van Gogh. Si un simple falsificador puede imitar un cuadro hasta el punto de confundir a los investigadores más concienzudos, un equipo de maquilladores, dobladores y expertos en efectos especiales o tecnología digital que son capaces de convencer al espectador de que unos simios hablan o un actor que murió hace años ha resucitado, deben ser igualmente capaces de crear un nuevo Osama Bin Laden tan falso como uno de los cuadros de mi buena amiga Erika Freiberg.

—¿O sea que habéis creado un doble de Bin Laden?

—Tan exacto en su aspecto físico, su voz, su acento, sus ademanes, e incluso sus guardaespaldas y lugartenientes, que ni siquiera él mismo estaría en situación de determinar en qué escena ha tomado parte realmente, y en cuál no.

—¿Y qué se conseguirá con eso?

—Desprestigiarle. De ahora en adelante nuestro falso Bin Laden será el único que tenga acceso a los canales de televisión internacionales, que como sabes, controlan los occidentales. Cada vez que se produzca un atentado, o un simple accidente, ese falso Bin Laden hará su aparición reivindicando su autoría en tales términos de desbocado fanatismo, que llegará un momento en que hasta sus más fieles seguidores pondrán en duda su salud mental.

—Se me antoja una canallada.

—A los canallas hay que combatirles con sus propias armas y alguien que se dedica a enviar cartas que contienen bacterias del ántrax intentando provocar una epidemia de proporciones catastróficas, o amenaza con envenenar ríos, es sin lugar a dudas el peor de los canallas.

—Pero es que lo que pretendes hacer es poco menos que terrorismo informativo.

—Que no mata a nadie, mientras que el terrorismo auténtico está matando inocentes y está perjudicando a mil millones de musulmanes, que en su inmensa mayoría no tienen la culpa de que un multi-millonario caprichoso e iluminado no haya tenido mejor ocurrencia que creerse el brazo armado del Profeta. Ya algunos pilotos se niegan a aceptar a isla-mistas a bordo, y en China no se les permite viajar en avión. ¿Qué va a pasar si el ejemplo cunde? Los musulmanes, que son uno de cada seis habitantes del planeta, estarán condenados al ostracismo o a retro-ceder a la Edad Media por culpa de un loco.

—No creo que eso pueda ocurrir… —señaló la venezolana segura de lo que decía—. Ni creo que Bin Laden se resigne a permitir que un impostor hable por él.

—¿Y cómo lo impedirá? Los satélites americanos están en condiciones de bloquear la señal de cualquier estación de radio o televisión del mundo, y por más que grite, nadie le oirá.

—¿Estás seguro de que pueden hacer eso?

—Y cosas mucho peores, tal como meterle un misil teledirigido por la ventana del despacho al di-rector de cualquier emisora que se atreva a colaborar con los terroristas. Bin Laden es muy inteligente, pero no ha tenido en cuenta un detalle de suma im-portancia: en los tiempos que nos han tocado vivir, un ejército puede ganar una batalla, o un país perder sus edificios más emblemáticos, pero a la larga las guerras las ganan o las pierden los medios de comu-nicación.

—Eso suena a manipulación universal.

—También lo admito. ¿Pero qué están haciendo los integristas más que manipular las enseñanzas de Mahoma; qué hace una parte de la Iglesia católica más que manipular la palabra de Cristo; o qué hacen los ortodoxos judíos más que manipular los mandatos de Jehová, sin contar las infinitas manipulaciones de los políticos o de los grandes empresarios? Por desgracia vivimos en tiempos de grandes mentiras, y crear a un falso Osama Bin Laden no será más que una de tantas mentiras.

—Probablemente tienes razón, aunque no me gusta que seas su creador o participes en ello.

—Tampoco a mí, pero no es momento de eludir responsabilidades. Cuando un hombre como Osama Bin Laden no emplea su inmensa fortuna en hacer más llevadera la miseria de los más desfavorecidos y prefiere emplearla en matar inocentes, o cuando el mundo rico no entiende que la única forma de combatir el terrorismo futuro es desterrando las injusticias actuales, todo resulta incongruente. De momento tenemos que combatir por los medios que sean, legales o no, una catástrofe, que pretende adquirir proporciones apocalípticas, pero al mismo tiempo que debemos intentar hacer comprender al mundo que todos tenemos parte de culpa y que si no ponemos remedio distribuyendo mejor la riqueza, pronto o tarde el problema resurgirá.

Fue a añadir algo pero se interrumpió al advertir cómo los jardines y los campos de deportes cercanos se iban llenando de chicos y chicas de todas las edades que corrían, reían y alborotaban.

Naima Fonseca siguió la dirección de su mirada y acabó por inquirir un tanto confusa:

—¿Qué te ocurre? Ya te he dicho que es la hora del almuerzo.

—Lo sé —replicó él—. Pero es que me sorprende ver que todos visten de un modo diferente, ya que, no sé por qué, esperaba que fueran de uniforme.

—¿De uniforme? Esto no es un cuartel, querido amigo —replicó la venezolana con naturalidad—. Ni un cuartel, ni un colegio, ni tan siquiera un hospicio.

Es un hogar, y en un verdadero hogar cada cual es libre de vestir como le apetezca.

Gaetano Derderian Guimeraes meditó unos instantes y al fin señaló más seguro que nunca de lo que iba a decir:

—Tal vez esta sea la auténtica solución: dar a cada niño un verdadero hogar en el que sea libre de vestir o pensar como le apetezca.

Lanzarote,
julio-septiembre de 2001

BESTSELLER

Los pilares de la Tierra, Ken Follett

Alto riesgo, Ken Follett

La casa de los espíritus, Isabel Allende

Baudolino, Umberto Eco

Armonía rota, Barbara Wood

Sushi para principiantes, Marian Keyes

Yo, puta, Isabel Pisano

El Salón de Ámbar, Matilde Asensi

Iacobus, Matilde Asensi

Como agua para chocolate, Laura Esquivel

Tan veloz como el deseo, Laura Esquivel

El amante diabólico, Victoria Holt

Hielo ardiente, Clive Cussler

A tiro, Philip Kerr

**Las chicas buenas van al cielo y
las malas a todas partes,** Ute Herhardt

Claire se queda sola, Marian Keyes

La soñadora, Gustavo Martín Garzo

Fuerzas irresistibles, Danielle Steel

Casa negra, Stephen King y Peter Straub

El resplandor, Stephen King

Corazones en la Atlántida, Stephen King

IT, Stephen King

Dioses menores, Terry Pratchett

Brujerías, Terry Pratchett

Picasso, mi abuelo, Marina Picasso

Saltamontes, Barbara Vine

Chocolat, Joanne Harris

Muerte en Cape Cod, Mary Higgins Clark

⊞ DeBOLS!LLO

CONTEMPORÁNEA

DeBOLS!LLO